les arts de la table

Éditeurs:
LES ÉDITIONS LA PRESSE, LTÉE
7, rue Saint-Jacques
Montréal H2Y 1K9

Conception graphique:
JEAN PROVENCHER

*Conception graphique
des hors-texte en couleurs:*
CRÉATIONS GRAPHIELLE ENR.

Photographies:
Couverture et intérieur: Thierry Debeur
Dos de couverture: Studio ABC

Dépôt légal:
BIBLIOTHÈQUE NATIONALE DU QUÉBEC
3e trimestre 1984

ISBN 2-89043-130-4

les arts de la table

THIERRY DEBEUR

Préface
de Pierre Marcotte

la presse

A mes grands-parents,
Gabrielle et Octave Debeur,
bons vivants pour qui les arts
de la table ont toujours été
aussi importants que la qualité
des mets et des vins présentés.

T.D.

Préface

« Les arts de la table. » Quel titre évocateur pour nous rappeler les plaisirs que nous éprouvons devant une bonne table! N'avons-nous pas la réputation d'être des jouisseurs impénitents devant une table bien garnie? Ainsi ce livre de mon ami Thierry Debeur nous permettra de raffiner encore davantage ces moments de prédilection.

Journaliste depuis de nombreuses années, Thierry Debeur a oeuvré dans divers domaines de l'information dont les nouvelles (directeur de l'information à l'Agence Internationale de Presse Keystone), les voyages avec *Marketing voyage* et *Touring*, pour finir par se spécialiser dans la gastronomie. On peut lire ses chroniques et articles dans différents magazines dont *Décoration chez-soi, Montréal ce mois-ci, L'Hospitalité, Jet set décoration, Magazine M* et *L'Agenda gastronomique des affaires* dont il est maintenant le rédacteur en chef.

Sa réputation de fin gastronome l'a amené à écrire ce livre sur les arts de la table. Constamment confronté avec des problèmes d'étiquette, de savoir-vivre et de savoir-faire dus au mélange des ethnies, particuliers en Amérique du Nord, Thierry Debeur s'est vite rendu compte qu'il y avait peu ou pas d'informations complètes adaptées à nos régions. Raffiné, perfectionniste et compétent Thierry Debeur s'est attaché à analyser nos us et coutumes et à en faire une synthèse simple, pratique et utile.

Plein d'anecdotes, *Les arts de la table* sera toujours un complément indispensable pour qui aime être un hôte à la hauteur de notre réputation de fine gueule.

Merci Thierry et, à vous, bonne lecture.

Pierre Marcotte

Remerciements

Je dois ici rendre hommage à l'aide constante et précieuse de mon épouse, Huguette Béraud, qui, par son savoir et ses conseils, m'a permis de faire ce livre. Grâce à sa sensibilité et son talent, nous avons pu réaliser les superbes photographies qui illustrent ce volume. Titulaire d'un certificat en art de la table, décoratrice de métier, journaliste par nécessité, coordinatrice de photos, Huguette faisait déjà équipe avec moi pour ma chronique « L'art de la table » dans le magazine *Décoration chez-soi*. Je lui dois d'avoir pu mener cet énorme travail à bonne fin.

Je remercie tout particulièrement M. Pierre Marcotte, pour ses encouragements et sa chaleureuse amitié, et M. Jacques Bélair, pour la photo qui paraît en dos de couverture.

Je remercie également toutes les personnes ainsi que les professionnels qui ont collaboré à l'élaboration des présentations et décors illustrés dans cet ouvrage, à savoir : M. et Mme Marc Hien ; M. et Mme Alan Davis ; M. Ferry, de la Compagnie vinicole internationale.

Vaisselle et accessoires : Mme Isenberg et le personnel de *Caplan-Duval* à Montréal ; Mme Chastel de la boutique *Pénéla* à Sainte-Geneviève ; M. Courtois de *La Maison des verres* à Montréal ; la boutique *Une pensée* à Montréal ; les décors *Magda Hereish*.

Hôtels, restaurants et salons de thé : M. Andrieux, directeur général, M. Candau, directeur de la restauration, M. Sauval, chef exécutif, M. Stéphano Dilta, directeur de salle, ainsi que la direction et le personnel du *Restaurant de France* de l'hôtel Méridien à Montréal ; Mme Charette de *La Terrine bleue*, salon de thé à Saint-

Marc-sur-Richelieu; M. Schwartz du restaurant chinois *Abacus II* à Montréal; M. Chastel du restaurant *L'Habitant* à Pierrefonds.

Fleuristes: M. Gilbert Lanouette et Mme Cécile Seguin-Rivest de la boutique *Une pensée* à Montréal; MM. Denis et Réade de *La Coccinelle* à Boucherville, et M. Richard Corbeil, créateur de bouquets; M. Camille de la boutique *Camille fleuriste* à Pierrefonds; M. Ferdy de *Au bazar en fleurs* à Notre-Dame-de-Grâce.

Introduction

Dans une ambiance de gris, de rose et de blanc, un mur tendu de tissu aux couleurs délicates, des étagères où brillent quelques précieuses porcelaines peintes, un foyer recouvert d'acier poli, quelques larges plantes vertes et une table blanche avec quelques chaises chrome et bois sur un tapis beige ... voilà planté notre décor au charme discret, comme il pourrait en exister mille autres. Maintenant, nous devons y recevoir des amis à dîner. Comment faire pour que cette réception soit un succès? Que servir? Comment arranger la table, la décorer, ordonner les places des convives? Comment contrôler le déroulement du repas sans s'énerver et se fatiguer? C'est à ces questions et à bien d'autres que nous nous proposons de répondre tout au long de ce livre, d'une façon simple et pratique.

En fait, les arts de la table sont conçus pour permettre de jouir pleinement des joies de la table. Les règles de bienséance, la façon de servir à table et de déguster certains mets sont des choses qu'il faut connaître et maîtriser, afin de n'en plus être l'esclave et de profiter convenablement du repas. Les règles n'ont pas été établies sur des caprices, elles correspondent à des nécessités souvent fonctionnelles et en général basées sur le bon sens. Il faut reconnaître que, quelquefois, elles tombent en désuétude, comme on le verra plus loin. Ces principes sont en constante évolution et suivent les modifications des habitudes alimentaires, vestimentaires et des règles d'étiquette et de savoir-vivre, qui, elles-mêmes, suivent les coutumes et les moeurs des différentes époques et des pays.

Ainsi, les règles des arts de la table ne sont pas toujours strictes. Ce qui est vrai aujourd'hui dans un endroit, ne le sera pas forcément demain dans un autre. Par exemple, on ne coupe pas, en principe, la salade avec son couteau mais seulement avec la fourchette. Ceci était valable jadis, parce que les lames des couteaux étaient en fer, donc s'oxydaient rapidement au contact des assaisonnements acides de vinaigre et de citron. Ce n'est plus vrai aujourd'hui avec l'invention de l'acier inoxydable. Voici une règle qui va probablement un jour disparaître.

Si chaque principe a sa raison d'être et varie suivant les pays, les coutumes évoluent un peu comme la morale au travers de l'histoire des civilisations. Il est en fait très difficile d'établir des règles précises et définitives, à caractère universel, en ce qui concerne les arts de la table. Personnellement, je pense que, d'une façon générale, du moment que l'on respecte la bienséance, que l'on soit propre, poli et agréable en société, on ne pourra vous tenir trop rigueur d'un léger manquement à certaines règles de l'art de la table.

Il n'en reste pas moins qu'il est très agréable et plus « relaxant » pour tout le monde de connaître un minimum des principes de base et de s'y habituer.

Nous avons fait ce livre pour aider chacun à connaître facilement les éléments essentiels à la réussite d'un événement de la table, quel qu'il soit. Finies les angoisses des préparatifs et du bon déroulement d'un repas. Cet ouvrage est un guide pratique et simple dont on peut facilement consulter n'importe quel chapitre à tout moment.

La petite histoire de la table

La table est parsemée de vives couleurs, l'argent brille, les fleurs délicates s'ouvrent pour offrir leurs parfums subtils, les bougies embrasent de leur douce lumière les riches contours de la vaisselle et éclatent de mille feux dans les cristaux scintillants. La palette vibrante des mets s'identifie à celle du peintre pour que renaisse le tableau dans l'assiette. Tout est joliment présenté pour la fête. Car la table est le centre du festin qui est une fête des sens et du coeur. Que ce soit la fraîcheur d'une table de printemps ou un souper en tête-à-tête pour la Saint-Valentin, ou encore un simple dîner entre amis, tout témoigne du plaisir que l'on a de recevoir et saura inciter les convives à y prendre part. L'ambiance qu'on y trouve est le reflet de notre état d'âme, de nos goûts, de nos invités et de la circonstance.

On se réunit autour d'une table soit par des nécessités quotidiennes d'ordre familial, soit pour le plaisir de partager un repas avec des amis, soit encore pour marquer un événement solennel à caractère spirituel ou sentimental. Le fait de se réunir autour d'une même table exprime la communion, le partage entre ses participants. Le partage de la même vie et des mêmes buts. On participe à une société, un projet, une fête, un repas.

Les premiers hommes se réunissaient en famille pour partager et manger des aliments simples, qui furent par la suite améliorés avec l'usage du feu. Ils se réunirent alors autour du foyer commun pour y griller leurs aliments.

A cette époque, il n'y avait pas réellement de table. On se servait de pierres plates pour isoler les aliments de la terre battue du sol. La table, telle qu'on la conçoit aujourd'hui, ne fit son apparition que beaucoup plus tard.

Chez les Égyptiens, les Grecs et les Romains, elle était le plus souvent individuelle et petite, ne comportant que trois pieds la plupart du temps. Elle recevait les corbeilles de fruits et autres aliments du repas, sans oublier le vin. Elle était placée à côté du convive qui mangeait allongé ou assis. A part la cuillère, ils n'avaient pas de couvert. Ils mangeaient avec leurs doigts, qu'ils essuyaient avec de la mie de pain ou qu'ils rinçaient dans de l'eau parfumée apportée dans des récipients par des esclaves.

Au début de leur histoire, les Grecs ne savaient pas bien se nourrir. Ils se délectaient surtout de leur fameux « brouet », sorte de hachis de viandes diverses, très gras et assaisonné de vinaigre. Aussi, les cuisiniers grecs furent-ils invités à aller visiter d'autres pays afin d'en rapporter de nouvelles recettes. Il y avait même une loi qui autorisait l'inventeur d'une nouvelle recette à l'exploiter exclusivement pendant un an. A la longue, les banquets grecs devinrent variés et excellents.

Même si la table grecque s'améliora de façon importante, elle restait néanmoins inférieure à la romaine. Les tables romaines étaient célèbres par leur raffinement et leur exubérance. On raconte que des tables comme celles de Luculus étaient couvertes de mets venus de pays nouveaux qui étaient spécialement explorés à cet effet. Apicius consacrait des sommes immenses à son estomac. Héliogabale fit servir au cours d'un même repas des cervelles d'autruches accompagnées de petits pois avec des grains d'or, des lentilles avec des pierres précieuses. Néron avait dans sa salle à manger un plafond mobile qui s'ouvrait pour laisser tomber des pétales de fleurs sur ses invités pendant qu'ils mangeaient. Une très belle coutume antique voulait que l'invité soit très fêté. Lorsqu'il apparaissait, on répandait sur lui de l'eau sacrée, des parfums, et on le couronnait de fleurs. Belle coutume que l'on pourrait encore observer de nos jours, en offrant par exemple une fleur à chaque invitée.

Quant aux Gaulois, ils s'asseyaient autour d'une table pour manger. Il n'y avait ni nappe ni couvert. Seul un couteau personnel servait pour couper les viandes. La cuillère de table disparut. On ne la retrouvera que plus tard, vers le Moyen Age. En effet, la nourriture de base était alors principalement constituée de viande de porc, de volaille (surtout de gibier), de pain et de vin. Les verres étaient rares. On passait un vase où chacun y buvait à son tour, souvent et par petits coups.

Les repas chez les Gaulois étaient longs et abondants. Ils étaient marqués d'un luxe grossier. A la fin du festin, les hommes aimaient à se battre en se lançant des défis, pour le plaisir.

Par la suite, au Moyen Age, sous le règne de Charlemagne en

particulier, les arts de la table s'améliorèrent. On en revient un peu aux raffinements des Romains. La recherche de mets plus délicats et une présentation plus élaborée s'installent peu à peu. Les habitudes alimentaires changent en même temps que la mode vestimentaire et les moeurs. La table change aussi: on y voit apparaître la nappe, d'abord réservée au seigneur puis étendue à la table tout entière. A cette époque, on ne partageait pas la table du maître des lieux mais bien « sa nappe ». La fourchette commence timidement à se montrer. Mais elle ne s'imposera réellement que plus tard, au XVIIIe siècle. La cuillère, un moment abandonnée par les Gaulois, revient à l'honneur pour consommer les potages. C'est d'ailleurs à cette époque que la base de l'ordonnancement des mets et les habitudes de la table prennent la forme qu'on leur connaît encore aujourd'hui (modifiée bien sûr).

A partir de cette époque, les arts de la table vont constamment s'améliorer et s'affiner. La table devient non seulement un lieu de partage de subsistance, mais aussi un véritable événement régit par des règles qui s'établissent petit à petit. Son apothéose se situe sans conteste sous les règnes de Louis XIV et Louis XVI, pour le faste et le raffinement. Les repas avaient jusqu'à huit services différents composés eux-mêmes de plusieurs mets dont les présentations étaient souvent de véritables chefs-d'oeuvre. Certaines, comme les desserts, étaient des pièces d'architecture réclamant de deux à quatre hommes pour les apporter jusqu'à la table.

Les assiettes étaient changées à chaque service. Un protocole strict régissait ces repas qui, on s'en doute, n'étaient possibles que dans les milieux princiers.

Après la Révolution française et à partir du XIXe siècle, l'avènement de la bourgeoisie va modifier les arts de la table. En effet, ces gens simples mais néanmoins amateurs de bonne chère et de bons vins, pour la plupart devenus riches par le négoce, purent s'offrir le luxe des nobles devenus moins riches par l'abolition de leurs rentes et la saisie de leurs biens après la chute de la monarchie. Mais c'était un luxe trop ostentatoire et il fallut laisser à l'histoire le temps d'adapter les arts de la table à ses nouveaux convives. Ce qu'elle fit d'ailleurs très bien.

Aujourd'hui, les arts de la table sont heureusement considérablement simplifiés. Moins de mise en scène somptueuse et plus de recherche dans l'harmonie, la qualité et la simplicité. On a gardé un menu comportant des services plus compatibles avec nos estomacs, sans pour autant négliger le côté raffiné et délicat.

Avec un peu d'imagination et de goût, on peut aujourd'hui recevoir facilement. Grâce aux commodités modernes, à la variété des produits disponibles sur le marché et à l'industrialisation des articles tels que les couverts, la vaisselle et les verres, concourant à les rendre plus abordables, les belles tables sont maintenant accessibles à tout le monde.

Préparatifs

Généralités

Il faut préparer avec soin ses réceptions, quel qu'en soit le type. Choisir le genre de réception, les invités, le menu, la décoration de la table, constitue une tâche délicate dont chaque élément doit s'harmoniser avec les autres.

Pour réussir une réception, il faut avant tout que l'hôtesse soit détendue et souriante, qu'elle contrôle le déroulement de la réception sans nervosité ni signes d'inattention auprès de ses invités. Pour y arriver, il faut bien préparer l'événement. Par exemple, mettre au point plusieurs menus qui n'offrent pas de difficultés majeures. Cela simplifie la préparation et le déroulement du service. Il est important d'être sûr de soi. Expérimenter un nouveau menu avec sa famille et ses amis avant de le présenter lors d'une réception est à conseiller.

Un autre petit truc consiste à préparer un maximum de choses à l'avance. Par exemple, la préparation du pain que l'on place dans une serviette repliée dans une corbeille, la préparation des salades, du plateau à fromage, etc.

Types de réceptions

L'ordonnancement du repas et ce que l'on y servira est en fonction du type de réception choisie, qui, elle-même, est déterminée par le moment de la journée où elle se déroulera.

Le déjeuner

Le déjeuner se passe entre sept heures et dix heures. Il peut être l'occasion de traiter une affaire urgente ou simplement de commencer la journée avec sa famille ou ses amis.

Le brunch

A mi-chemin entre le breakfast et le lunch (contraction: brunch), ce repas combine le petit déjeuner avec le déjeuner. Pratique lorsqu'on se lève tard.

Le dîner ou le lunch

En Europe, le dîner se prend le soir. En Amérique du Nord, il se prend à midi.

On y sert des plats plutôt légers, comme des salades, mais il doit comporter au moins un plat chaud.

NOTE: A midi les repas de cérémonie se font de plus en plus rares. On les réserve plutôt pour le soir.

Les cocktails

Ce genre de réception se passe généralement entre 16 heures et 18 heures. Les invitations se font par téléphone ou par écrit.

Le cocktail permet de recevoir beaucoup de monde sans être obligé d'avoir du personnel. Il se présente comme une sorte de buffet léger où la boisson domine. La nourriture, toujours obligatoire (il vaut mieux ne pas faire boire ses invités le ventre creux), se présente sous forme de canapés, croustilles, carrés de fromage, etc. On peut aussi servir des plats plus substantiels comme du rosbif, du pâté, de la dinde; dans ce cas, ce sera un buffet-cocktail.

Pour les boissons, prévoir environ deux à trois consommations par personne plus une réserve. Les boissons principales sont le scotch, le bourbon, la vodka, le gin, le rye, le vermouth (sec et doux), le soda, le jus de tomate, le ginger-ale et les jus de fruits. Pour les personnes qui ne boivent pas d'alcool, prévoir des boissons gazeuses et du café. Pour le bar, préparer un assortiment d'olives dénoyautées, de zestes et rondelles de citron et d'orange, des cerises au marasquin, des épices (sel de céleri, poivre).

Le buffet

Le buffet, comme le cocktail, permet de recevoir un grand nombre de personnes avec un service réduit. Il peut se servir à n'importe quel moment de la journée.

Comment dresser un buffet: Les invités se servent en avançant le long de la table. On dispose donc les assiettes et les couverts à un bout de la table et les mets sont disposés à la suite en ordre logique: entrées, plats principaux, fromages, desserts et café, plus le service du vin. Chaque plat doit comporter son propre couvert de service. Dans les grands buffets, il vaut mieux servir les desserts et le café sur une table à part. Ne pas oublier les nappes blanches pour les buffets de cérémonie.

Le thé

Il est très agréable de recevoir quelques amis pour le thé. Servi en général vers quatre heures de l'après-midi, il sera accompagné de quelques sucreries, petits fours et gâteaux secs, ou voire même quelques pâtisseries fines.

Suivant le goût de chacun, prévoir des rondelles de citron, du lait, du sucre ou du miel pour mélanger avec le thé.

Faire le thé: il n'y a qu'une bonne façon de faire le thé: *à l'anglaise*. On ébouillante la théière (en porcelaine de préférence), on la vide et on y met autant de cuillères à thé de thé qu'il y a de personnes plus une pour la théière. On verse ensuite de l'eau bouillante jusqu'à une hauteur d'environ cinq centimètres, on ferme et on laisse infuser pendant cinq minutes. On complète avec de l'eau bouillante et on laisse infuser encore trois minutes. On sert avec une passoire.

Il existe une grande variété de thés d'origines différentes et de qualités diverses. En garder de quatre à cinq sortes en petites quantités dans des récipients à l'abri des odeurs, de l'humidité, de l'air et de la lumière.

On peut aussi servir du thé en sachets, mais c'est une tolérance, car ces thés-là ne sont pas aussi bons que ceux en vrac.

NOTE: On peut également organiser un *thé party pour* remplacer un cocktail. Il faut alors servir du thé, un ou deux alcools doux et une quantité suffisante de fours secs, de gâteaux, de confiseries, etc., que l'on dispose sur un buffet.

Le verre de vin

Une autre réception originale consiste à inviter des amis à parler autour d'une excellente bouteille de vin. On peut alors se permettre de servir un très grand cru dont le palais se régalera mieux qu'au cours d'un repas, n'étant pas modifié par des nourritures trop riches ou trop abondantes. Comme il vaut mieux ne pas boire de l'alcool l'estomac vide, il convient de servir en même temps un peu de fromage avec du pain, des noix, des fruits secs, etc.

Le vin et fromage

« Le vin et fromage » peut remplacer un cocktail ou un buffet. On y sert un assortiment de fromages de différentes saveurs en allant de la plus douce à la plus forte. Ils ne doivent surtout pas être coupés en petits morceaux mais se présenter sous leur forme habituelle (voir « Le plateau de fromage » dans « Le service de table », section « Une réception »). Chaque variété de fromage aura son propre couteau de service. Avec les fromages, on met du pain croûté découpé en morceaux, des biscottes, des coupes de fruits (principalement pommes, raisins, poires), des raviers contenant des noix et des fruits secs, des piles d'assiettes à fromage, des couteaux à fromage pour les invités, des verres et du vin rouge et blanc.

NOTE: prévoir 200 g de fromage et ⅓ L de vin par personne.

Le souper

C'est le plus important de tous les repas, surtout en Amérique du Nord. On y mange toujours assis. Lorsqu'on a un repas de cérémonie à organiser, il vaut mieux le réserver pour ce moment de la journée. Le soir a plus d'apparat que le jour. On suivra l'ordonnancement du menu, qui doit comporter un hors-d'oeuvre, un plat principal (en général chaud) avec son légume, le plateau de fromage, le dessert, le café et les alcools digestifs. Pour les grands soupers, on peut ajouter une entrée chaude ou froide.

Tout ce qui concerne le menu, le service et l'étiquette de ce type de réception a été pris comme modèle de base pour la rédaction du présent ouvrage. On en trouvera donc la description en cours de lecture.

Les invités

Choix et nombre

Choix: si la réussite d'un repas dépend de la décoration, du menu et de ses arrangements, un manque d'harmonie entre les invités risque par contre de tout gâcher, quel que soit le soin qu'on aura mis à préparer cet événement.

On évitera donc d'inviter à la même réception des gens d'opinions très opposées (surtout politiques) ou de condition trop inégale. Mais l'uniformité doit être exclue. Comme pour le reste des préparatifs, choisir ses invités avec soin constitue aussi une des clefs de la réussite.

Si l'on est quand même obligé de recevoir des personnes très différentes, quant à leurs idées par exemple, ou qui ne s'entendent pas, on invite alors en même temps des gens assez raisonnables qui pourront, si le cas se présente, tourner ou orienter vers l'humour ou encore tempérer une discussion qui s'annonce orageuse. Ces personnages « tampons », comme je les appelle, seront placés entre les cas difficiles ou susceptibles de l'être. Mais je rappelle que c'est surtout aux hôtes de diriger la conversation et de la ramener au niveau des convenances, si besoin est.

Nombre d'invités: dans une maison où il n'y a pas ou peu de personnel, il vaut mieux restreindre le nombre des invités à six ou huit. Un plus grand nombre serait difficile pour la maîtresse de maison, et il vaudrait mieux alors prévoir un buffet. L'espace, le type de repas envisagé et aussi, bien sûr, le budget dont on dispose, déterminent le nombre de personnes à inviter.

Comment inviter

L'invitation dépend du genre de réception. S'il s'agit d'une réception intime, on peut inviter par téléphone; une réception semi-officielle, par téléphone ou par écrit; une réception officielle, toujours par écrit.

Dans tous les cas, il faut mentionner le nom des hôtes, celui des invités (facultatif), la date, l'heure, le lieu, le genre de réception, la tenue vestimentaire et si possible le motif de l'événement. Si la réception nécessite un contrôle, ajouter la mention « présentation de la carte à l'entrée » (si l'invitation est faite par écrit).

Une invitation par écrit se fait à l'aide d'une carte de visite grand format, d'un bristol ou carton imprimé, d'une carte fantaisie ou encore d'une petite lettre (pour une personne âgée à qui on veut marquer sa déférence).

Quand lancer les invitations?: ne pas inviter trop tard car les gens risquent d'avoir déjà d'autres engagements, ni trop tôt, pour éviter d'avoir l'air de leur forcer la main. Idéalement, inviter environ de huit à quinze jours à l'avance pour des réceptions intimes, et au moins trois semaines à l'avance pour des réceptions officielles.

Exemples de textes d'invitation:

M. et Mme ....
.....rue Crescent à Montréal

Dîner le jeudi 28 mai
19h 30
Cravate noire

Madame...............................
recevra pour le dîner d'anniversaire de sa fille
Geneviève
le dimanche 20 juillet
au Restaurant..................................
....

18 heures	RSVP
tenue de soirée	rue............................
invitation demandée à l'entrée	

NOTE: Ne pas parler de la réception devant des personnes qui ne sont pas invitées et que vous ne désirez pas recevoir.

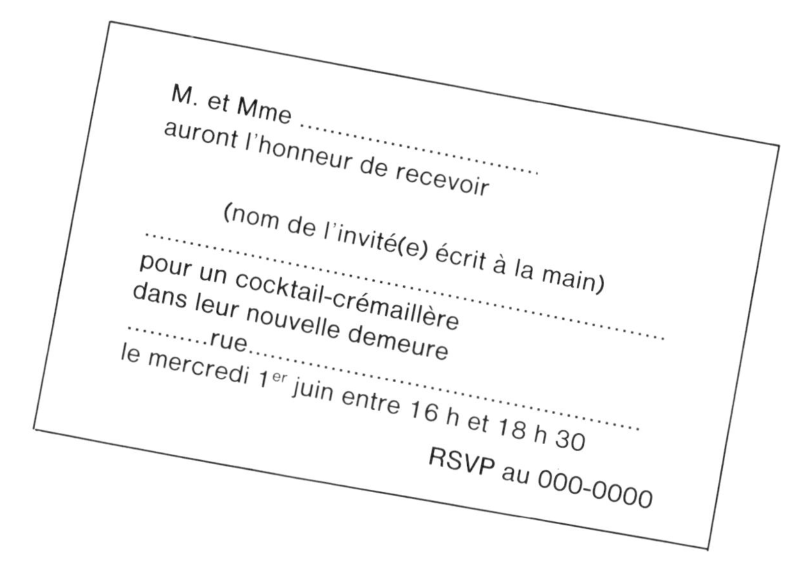
M. et Mme ....
auront l'honneur de recevoir

(nom de l'invité(e) écrit à la main)
....
pour un cocktail-crémaillère
dans leur nouvelle demeure
..........rue..
le mercredi 1er juin entre 16 h et 18 h 30

RSVP au 000-0000

Réponse à une invitation

Lorsqu'on reçoit une invitation, on doit toujours non seulement y répondre, mais encore le plus rapidement possible.

Lorsqu'il s'agit d'une invitation par téléphone, on peut prendre un temps de réflexion, ne serait-ce que pour en parler à son conjoint si on est invités tous les deux. Mais il faut toujours répondre le plus rapidement possible en s'assurant de l'heure, de la date et du lieu pour éviter toute erreur.

Si on reçoit une invitation par écrit, répondre soit par téléphone soit par écrit, également le plus vite possible. Si on répond par écrit, il est préférable de le faire à la main. Préciser encore la date, l'heure et le lieu.

Dans tous les cas, si on ne peut venir, exprimer ses regrets en expliquant brièvement les motifs du refus.

A éviter: ne jamais demander si on peut amener un invité personnel, excepté si on est très intime avec les hôtes, et encore ce n'est pas bien vu.

Annulation: si on veut annuler une invitation déjà acceptée parce qu'on est dans l'impossibilité de s'y rendre, le faire immédiatement, sans délai, soit par téléphone soit par télégramme en exprimant ses regrets et en donnant ses motifs.

NOTE: En principe, on choisit ses vêtements selon le moment de la journée et le type de réception. Par exemple, une robe du soir et un costume sombre pour les repas de cérémonie, un costume de ville et une robe d'après-midi pour un cocktail. Pour une réception intime, on peut se permettre une tenue plus décontractée. Mais on ne peut, en aucun cas, tolérer une tenue négligée. Une tenue soignée et de bon goût est toujours de rigueur, par respect des autres et de soi-même.

Si on a des doutes sur la façon de s'habiller et si ce n'est pas indiqué lors de l'invitation, ne pas hésiter à le demander à l'hôtesse. Celle-ci pourra éventuellement vous dire comment elle pense s'habiller elle-même.

Le menu

Dans le cas d'un grand repas, le menu est écrit à la main et disposé sur la table, en un seul ou plusieurs exemplaires. Dans ce dernier cas, il doit y avoir autant de copies que d'invités. Chaque menu est alors posé sur l'assiette des convives qui peuvent le garder en souvenir.

Choix d'un menu

Le choix d'un menu est fonction du thème choisi, de l'importance du repas, du budget dont on dispose et aussi de la saison (on réserve les plats gras pour l'hiver; en automne, on peut servir du gibier qui n'a pas été congelé).

Faire attention, lorsqu'on choisit ses mets, pour ne pas servir deux plats ou deux modes de cuisson identiques à la suite (deux légumes cuits vapeur, deux viandes de boeuf même si elles sont préparées de deux façons différentes).

Prévoir de la salade et des fruits.

Pour le fromage, même s'il est dit qu'on n'en sert pas toujours dans les grands repas, je préfère le servir en toutes occasions et ne pas faire mentir le dicton « pas de bon repas sans fromage ». Prévoir un plateau d'au moins trois variétés (voir « Le plateau de fromage » à la page 84).

Pour le dessert, si on ne peut le faire soi-même pour de multiples raisons, on peut, sans déshonneur, le commander à son pâtissier ou chez son traiteur. On le sert toujours en dernier.

Pour choisir la recette des mets, on peut se documenter avec bonheur dans les nombreux livres de cuisine existants. Ils sont en général faciles et précis et donnent tous les conseils nécessaires pour les achats et la façon de procéder pour réussir la recette. Mais il vaut mieux ne pas prendre de chance et ne jamais servir une recette que l'on n'a pas d'abord expérimentée.

Nous rappelons qu'une réception, surtout s'il s'agit d'un repas de cérémonie, doit être l'occasion de servir des plats plus recherchés que ne le permet la cuisine quotitienne.

ATTENTION: Ne pas oublier de tenir compte de la religion de ses hôtes. Quelques mets sont interdits dans certaines religions. Dans le même ordre d'idée, si on connaît le goût ou les problèmes de santé de ses invités, ne pas servir de mets qui peuvent leur nuire.

Achats-préparatifs

Grouper ses achats afin de ne pas faire plusieurs voyages inutilement.

Si on dispose d'un grand réfrigérateur ou d'un congélateur, on peut acheter à l'avance. Dans le cas contraire, nous conseillons de faire des provisions seulement de denrées non périssables comme le vinaigre, l'huile, les boissons, etc. La veille du repas, on peut compléter avec les denrées périssables. Si on ne veut pas cuisiner une partie ou la totalité du menu, on peut toujours s'adresser à un traiteur ou à un restaurant qui livreront les mets dans des services spéciaux (gardant la chaleur ou le froid suivant les mets), au moment du repas ou une heure avant.

UN CONSEIL: Avant de commander chez un traiteur, se renseigner auprès de plusieurs établissements sur les prix pratiqués pour le même menu. Cela peut représenter une source d'économies appréciables.

Pour les préparatifs, organiser les choses à faire dans un ordre précis et bien planifié dans le temps. Voici une liste sommaire de ce qu'il ne faudrait pas oublier:

- Choisir le menu.
- Faire la liste des achats.
- Faire les achats en une ou plusieurs fois selon les disponibilités.
- Lancer les invitations.
- Choisir l'endroit et faire un plan de la salle avec sa décoration.
- Prévoir un vestiaire suffisant.
- Faire un plan de la table avec les couverts, la vaisselle, les accessoires et la décoration.
- Acheter des fleurs.
- Nettoyer et astiquer la maison.
- Préparer le repas (certaines choses peuvent être préparées à l'avance).

— Organiser le service.
— Être prêt une heure avant la réception pour pouvoir se reposer et se détendre.

Prendre l'habitude de faire une liste écrite des choses à faire en réservant des espaces pour mettre des notes et indiquer l'ordre chronologique de leur réalisation.

Accord des vins et des mets

Un repas élaboré demande des vins en harmonie avec les mets servis. Par exemple, on peut simplifier en résumant les arrangements suivants :

— Consommé, potages : pas de vin.
— Plats suivants:
poisson, poulet, dinde, cervelle, fruits de mer, viandes blanches: vins blancs secs ou rouges légers ;
viandes rouges, canard, oie et gibier à poil et à plumes : vins rouges secs: plus charpentés.
— Fromages : grands vins blancs ou rouges secs suivant le fromage. Un vin blanc liquoreux sera aussi très bien avec certains fromages comme le roquefort.
— Desserts : vins doux et liquoreux, champagnes secs, demi-secs et doux, vins mousseux.

REMARQUE : Le champagne peut être servi du début à la fin du repas. Avec un menu en conséquence, il fait merveille.

Il existe assez de vins de qualités et de types différents pour réussir le meilleur des arrangements possible avec le menu choisi. Les suggestions suivantes ne sont pas exhaustives mais peuvent donner une petite idée, pour commencer. Mais avant tout, il convient de respecter quelques principes de base simples :

1. Lorsqu'un mets est préparé avec un vin ou si la sauce est à base de vin, servir le même vin à boire, mais si possible dans un millésime plus ancien.

Signalons qu'il est inutile d'utiliser un vin vieux en cuisine. Mais, malgré ce que l'on en dit, il est indéniable qu'un bon vin transfère ses qualités au mets préparé. Néanmoins, un bon vin est inutile dans un plat relevé. Prendre alors soit un vin plus léger, soit un vin assez puissant pour faire face aux épices.

2. Les plats régionaux sont en général servis avec les vins de la même région.

3. On ne sert jamais de vin avec les potages, les aliments vinaigrés ou acides, les artichauts, les asperges, les aliments vraiment très épicés, le fromage frais, le lait, les oeufs, le chocolat, le café, les crèmes glacées et les sorbets.

Entrées et hors-d'oeuvre: Toujours prendre soin d'harmoniser la finesse des mets avec la qualité des vins.

Avocat garni: blanc sec ou demi-sec; graves, sauvignon ou rosé sec.

Bouquet de crevettes: blanc sec; bourgogne, bordeaux, alsace (riesling).

Bisque: blanc sec avec du corps; pinot, graves.

Caviar: champagne, meursault ou vodka glacée.

Coquilles Saint-Jacques: graves blanc, vin allemand, anjou, alsace.

Escargots: rouge ou blanc ayant un peu de corps; chablis, beaujolais, meursault.

Foie gras: en entrée: champagne ou un grand d'Alsace (gewurztraminer), côte-de-nuits, bordeaux blanc, sauterne. S'il est servi après le rôti: médoc, côte-de-beaune.

Cuisses de grenouilles: vin blanc sec bien parfumé; saint-véran, graves blanc, sancerre.

Homard en salade: blanc d'Alsace ou un chablis.

Huîtres: blanc; entre-deux-mers, chablis, vin d'Alsace.

Langues (boeuf, veau): côtes-du-rhône, beaujolais.

Jambon persillé: blanc sec.

Jambon fumé: corbières.

Mousse de jambon: vin de la Loire ou d'Anjou.

Melon: vin doux et fort en alcool; porto, madère, xérès.

Moules: chablis, muscadet ou graves.

Pâtés:

Canard: médoc, grand bordeaux, pomerol
Foie: bordeaux rouge
Lièvre: côtes-du-rhône ou pomerol
Porc: mercurey
Rillette: pouilly ou chablis
Creton: anjou sec.

Pour les pâtés de gibier, il est préférable de servir un rouge capiteux de Bordeaux ou de Bourgogne.

Saucisson: rouge ou rosé puissant; un tavel rosé ou un côtes-du-rhône.

Saumon fumé: blanc sec et vigoureux; alsace, chablis.

Terrine de volaille ou de lapin: rouge; grand bordeaux, grand beaujolais ou un saint-émilion.

Poissons et crustacés:

Anguille: au vert: sancerre; fumée: rosé de Provence.

Aiglefin: blanc sec; anjou, sancerre.

Brochet: rosé de Provence.

Cabillaud: blanc; chablis, graves.

Croquette de poisson, friture: blanc sec; entre-deux-mers.

Doré: amandine: graves blanc; meunière: alsace.

Haddock: blanc sec; meursault.

Éperlan: blanc sec.

Hareng: blanc acide; bourgogne, aligoté, sauvignon.

Homard, langouste et crabe: un champagne, un vouvray ou un grand bourgogne.

Merlan: blanc sec ou demi-sec; sauvignon blanc, graves, mâcon, vouvray.

Morue: muscadet.

Moules: vin blanc sec ou rosé de Provence, d'Alsace, du Rhin, ou un mâcon blanc.

Palourdes: blanc sec; entre-deux-mers, alsace.

Quenelles de brochet: bourgogne blanc.

Sardines grillées: blanc très sec; sylvaner, muscadet, côtes-de-provence.

Saumon frais: grand bourgogne blanc; meursault, aloxe-corton ou chablis grand cru.

Sole: au beurre: bourgogne blanc, chablis, alsace.

Thon: rosé; côtes-de-provence.

Truite: bourgogne blanc; pouilly-fuissé, chablis, alsace.

Turbot: blanc sec et généreux; meursault, graves, muscadet.

Volaille: en général, un rouge ou un blanc sec.

Canard rôti: grand blanc d'Alsace, d'Allemagne ou encore d'Autriche. Un bordeaux ou un bourgogne.

Pliage des serviettes

Plier la serviette en quatre et ramener le premier rabat en le pliant sur la diagonale.

Replier successivement le premier rabat de façon à obtenir un accordéon de deux centimètres environ.

Maintenir en place le centre de l'accordéon.

Plier la serviette en deux par l'arrière pour former un triangle.

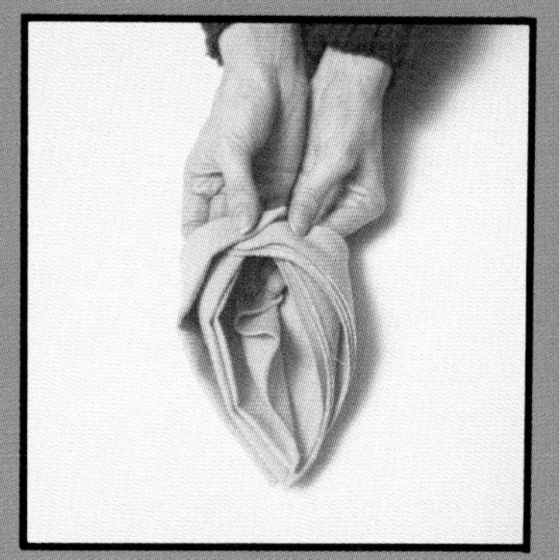

Ramener les deux pointes libres du triangle en les emboîtant l'une dans l'autre.

Dresser la serviette.

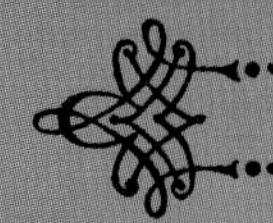

Pliage des serviettes

Pliage «mitre d'évêque»

Pliage « éventail debout »

Pliage «kimono»

Ustensiles

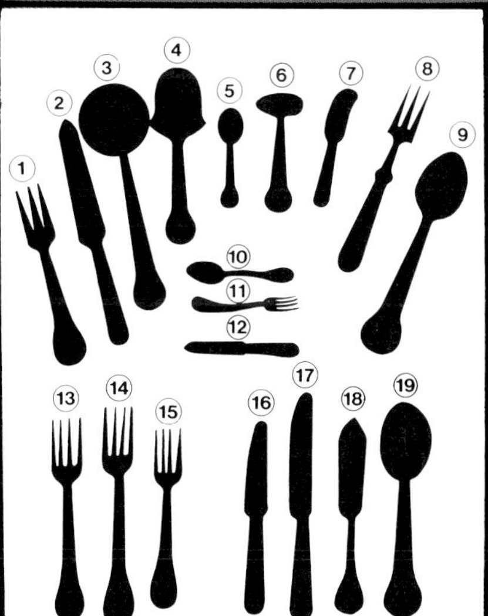

1. Fourchette de service
2. Couteau de service
3. Louche à potage
4. Cuillère à entremets
5. Cuillère à café
6. Cuillère à sauce
7. Couteau à beurre
8. Fourchette de service pour rôti
9. Cuillère de service
10. Cuillère à dessert
11. Fourchette à dessert
12. Couteau à fromage
13. Fourchette à poisson
14. Fourchette de table
15. Fourchette à salade
16. Couteau à dessert (sert aussi à plier la salade)
17. Couteau de table
18. Couteau à poisson
19. Cuillère à soupe

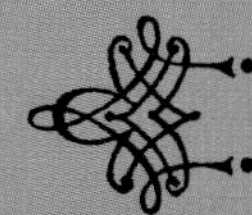

Verrerie

De gauche à droite:
flûte à champagne
tulipe à champagne
bourgogne rouge
bordeaux rouge
vin blanc
universel

De gauche à droite:
vin d'Alsace
vouvray
digestif
cognac
long drink
whisky ou old fashion

De gauche à droite:
café irlandais
café flambé
cocktail fantaisie
champagne, gimlet, margarita, cocktail, punch
martini ou cocktail
bière

Fleurs

Bouquet ovale asymétrique.

Composition de fleurs et de fruits de saison pour centre de buffet ou manteau de cheminée.

Centre de table en forme de boule pour grand dîner. Noter la rose-cadeau ainsi que la disposition des couverts.

Fleurs

Bouquet de fleurs en triangle.

Composition champêtre en ovale vertical.

Fleurs

Composition triangulaire asymétrique. Les branches d'eucalyptus peuvent servir par la suite à faire des bouquets séchés.

Composition en fuseau vertical. Le vase occupe un tiers de la hauteur.

Accessoires

Harmonie d'automne. Centre de table composé de feuilles, de fruits et de fleurs séchées montés sur un carré de liège.

Centre de table formé de coquillages, de coraux, de cailloux ou de pierres et de fleurs exotiques. Il convient particulièrement aux repas de poissons et fruits de mer.

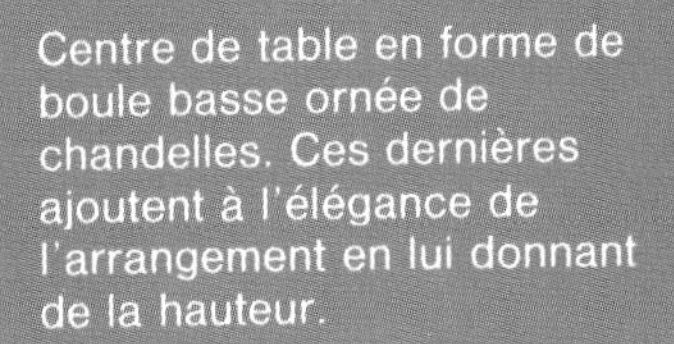

Centre de table en forme de boule basse ornée de chandelles. Ces dernières ajoutent à l'élégance de l'arrangement en lui donnant de la hauteur.

Canard à l'orange: gevrey-chambertin, saint-estèphe ou gigondas.

Dinde: du meilleur au plus humble, tous les vins sont bons, que ce soit un blanc sec ou un vieux rouge de qualité.

Rôtie: pomerol; farcie: médoc, bordeaux.

Oie rôtie: côte-de-nuits.

Oie farcie: bordeaux ou graves rouge.

Quenelles de volaille: beaujolais ou bourgogne rouge.

Poulet: mêmes remarques que pour la dinde.

A la crème: blanc sec, sancerre;
B.B.Q.: rosé de Provence ou corbières;
En casserole: bourgogne blanc;
Chasseur: rouge léger, beaujolais primeur;
Au cari: blanc sec, sancerre, muscadet;
Grillé: bordeaux rouge ou corbières.

Viandes blanches: nécessitent des vins rouges corpulents: côte-de-nuits, hermitage, etc.

Porc:

Rôti: bordeaux, saint-émilion, pomerol. Si le rôti est servi avec une purée de pommes: vin franc et jeune, beaujolais;
Côte de porc: bordeaux;
Saucisse de porc: beaujolais;
Boudin noir: beaujolais.

Veau:

Rôti: beaujolais ou médoc;
Épaule rôtie: bourgogne, côte-de-beaune;
Côte de veau au vin blanc: blanc sec; sancerre, muscadet;
Escalope de veau viennoise: rouge léger;
Blanquette: médoc, beaujolais, brouilly;
Osso Buco: valpolicella;
Paupiettes: sancerre, blanc sec;
Ragoût: rouges jeunes et parfumés, beaujolais, côtes-du-rhône;
Ris de veau: grand bordeaux ou grand bourgogne;
Rognons: pomerol, saint-émilion, rioja;

Lapin:

Sauté chasseur: pomerol, morgon, côte-de-bourg;
Gibelotte: rouge jeune et puissant;
Civet: rouge corsé, côte-de-nuits, côtes-du-rhône, corbières;
A la moutarde (Lyon): beaujolais.

Viandes rouges: les vins rouges tanniques sont les mieux adaptés, tels les saint-émilion, pomerol, côtes-du-rhône, etc.

Agneau et mouton:

Blanquette: pouilly fumé;
Braisé ou rôti: médoc saint-julien;
Carré d'agneau: médoc, moulin-à-vent;
Gigot: bordeaux, pauillac;
Grillé: bourgogne rouge;
Navarin: médoc ou beaujolais;
Ragoût: corbières.

Boeuf:

Boeuf à la mode: bordeaux;
Boeuf bourguignon: rouge vigoureux; pomerol, vieil hermitage ou beaujolais villages;
Boeuf Strogonoff: rouge plein de feu; hermitage, zinfandel, valpolicella;
Brochettes: rouge léger; passe-tout-grains, chianti;
Chateaubriand: côte-de-beaune;
Entrecôtes: rouges charpentés;
Bordelaise: pauillac;
Béarnaise: médoc;
Marchand de vin: saint-émilion;
Maître d'hôtel: saint-estèphe.

Filet de boeuf:

Filet mignon, côtes-du-rhône
Steak au poivre noir: jeune côtes-du-rhône rouge;
Steak au poivre vert: beaujolais.
Hamburger: beaujolais ou bien de la bière;
Pot-au-feu: médoc ou côtes-du-rhône;
Rôti: vin rouge de toutes les qualités et de tous les millésimes
Steak grillé: beaujolais;
Steak tartare: rouge léger; valpolicella, corbières;
Tournedos: vins rouges de toutes qualités.
Rossini: pomerol;
Béarnaise: médoc.

Gibier à plume: vins rouges de haute qualité, tels que gevrey-chambertin, chambolle musigny, volnay 1er cru ou encore un médoc ou un hermitage.
Caille: médoc, côtes-du-rhône, tavel, rosé de Provence.
Faisan:

A la crème: meursault;
Farci: gevrey-chambertin;
Rôti: hermitage.

Oie sauvage:

Farcie: côtes-du-rhône, côte-rôtie;
Rôtie: saint-émilion ou bordeaux rouge;

Perdrix:

En sauce: côtes-du-rhône ou grand bourgogne;
Rôtie: beaujolais ou médoc.

Pigeon ou *pigeonneau:* aux petits pois; bordeaux rouge, cahors.

Gibier à poil: ces viandes fortes demandent de très grands vins. Des rouges riches et corpulents tels les grands crus de Bourgogne conviendront bien: un vieux pommard ou un clos-vougeot. Mais un bordeaux conviendra également avec un saint-émilion ou un pomerol.

Chevreuil:

Civet: saint-émilion;
Grand veneur: côte-de-nuits;
Rôti: côte-de-nuits.

Le chevreuil peut être assimilé à l'orignal, même si cela en fait crier quelques-uns.

Lièvre: grand rouge avec beaucoup de bouquet; gevrey-chambertin, château margaux.

Sanglier:

A la crème: grand côte-de-nuits;
Rôti: côtes-du-rhône ou médoc.

Mets spéciaux et régionaux:

Ailloli (Provence): rosé de Provence ou côtes-du-rhône blanc.

Bouillabaisse (Provence): blanc sec ou rosé; un bandol ou un pradel.

Brandade de morue (Provence): blanc sec ayant du corps; côtes-du-rhône, côtes-de-provence, clairette du Languedoc.

Cassoulet (Sud-ouest de la France): rouge sec; corbières, zinfandel ou vin de Cahors.

Choucroute (Alsace, Allemagne): tous les vins blancs d'Alsace et d'Allemagne. On peut aussi la consommer avec de la bière.

Couscous (Afrique du Nord): vins rouges d'Afrique du Nord et les rouges du Languedoc (corbières, fitou, etc.).

Fondue au fromage (Suisse): blanc sec; vins suisses, muscadet, entre-deux-mers.

Fondue bourguignonne: bourgogne, morgon.

Paella (Espagne): vins espagnols, rouges secs; rioja, campo viejo, vinho verde ou sangria.

Goulash (Pays slaves): côtes-du-rhône, fleury, volnay.

Pizza (Italie): vin rouge ou rosé sec; vins italiens, chianti, côtes-de-provence rosé.

Quiche (Lorraine): blanc sec; alsace, sancerre.

Fromages: le fromage n'est pas fait pour mettre le vin en valeur. Au contraire, c'est le vin qui rehaussera la finesse d'un fromage. Si le vin convient bien au fromage, l'inverse n'est pas tout à fait vrai. Contrairement à ce que l'on croit généralement, il n'est pas nécessaire que le vin servi avec le fromage soit un haut de gamme. Mais rien n'empêche de se faire plaisir. En fait, c'est par sa position dans l'ordonnancement du repas que le fromage demande, en général, un vin qui fasse honneur à ses prédécesseurs et qui soit conforme au principe de la progression dans les qualités des vins servis. Autant que possible, essayer de servir des vins de la même origine que celle du fromage.

Pâte cuite: gruyère, emmenthal, édam, parmesan, etc.
Au choix: blanc sec: chablis, arbois blanc, vins suisses; rouge: beaujolais, saint-émilion.

Pâte pressée: chester, cheddar, gouda, oka, port-salut, reblochon, tommes, saint-paulin, etc.
Rouge léger: beaujolais ou bordeaux rouge léger.

Pâte persillée: bleu d'Auvergne, roquefort, bleu de Bresse, gorgonzola, etc. Rouge corsé et puissant: côtes-du-rhône, châteauneuf du pape, côte-rôtie, gigondas, morgon; avec le roquefort, on peut s'offrir un champagne. Pour les pâtes persillées, on peut aussi essayer un blanc liquoreux avec succès.

Pâte molle:

Croûte fleurie: brie: médoc ou beaujolais; camembert: grand bourgogne, morgon.

Croûte lavée: munster, livarot, maroilles, pont-l'évêque, etc.: rouge corsé, côtes-du-rhône, grand bourgogne, morgon. Le munster sera mis en valeur avec un grand vin d'Alsace (riesling).

Fromages de chèvre: banon, pyramide, rouleau, etc.: vins blancs, rouges ou rosés secs et fruités des régions d'où proviennent les fromages, si possible. Mais un alsace ou un pouilly-sur-loire seront les bienvenus.

Pâte fraîche: double crème et triple crème, boursin aux fines herbes, au poivre, etc.; pas de vin. Mais on peut essayer un vin blanc sec d'Alsace ou un vin autrichien comme le petit viennois.

Pâte fondue: rondin de savoie, fromages au kirsch, aux noix, fromage fondu en portions triangulaires, etc.; vins rouges légers: beaujolais nouveau, anjou.

Desserts: on ne sert pas de vin avec les crèmes glacées et les sorbets. Suivant le dessert, on servira un champagne sec, demi-sec ou doux, ou encore un vin blanc doux ou liquoreux.
Si l'on part du principe que le sucre tue le sucre, on évitera de servir un vin trop doux avec un dessert très sucré. On servira au contraire un vin riche en alcool.

Crème renversée, flan: sauterne, madère, montbazillac.

Crêpes: champagne doux, asti-spumante.

Fraises à la crème: sauterne ou vouvray, ou simplement de l'eau.

Gâteau au chocolat, mousse, soufflé: pas de vin.

Meringues: champagne sec.

Moka: vouvray doux pétillant.

Noix, fruits secs: madère, porto, xérès.

Omelette norvégienne: pas de vin; si l'on veut, un champagne sec.

Petits fours: muscat, madère, champagne doux ou demi-sec.

Pithivier, galette feuilletée: vin blanc liquoreux, sauterne, montbazillac.

Salade de fruits: pas de vin.

Crème glacée, sorbet: pas de vin.

Tarte aux pommes: blanc doux.

Tarte aux fraises: champagne.

Tarte aux prunes: vieux vouvray.

Le décor

La pièce

Le choix de la pièce est fait en fonction du type de réception et du nombre d'invités. Il n'est pas question de bouleverser complètement son appartement ou sa maison pour une réception. Éventuellement, on peut déplacer quelques meubles légers et faciles à bouger, tout en respectant le caractère original de la décoration de l'appartement.

S'il s'agit d'une réception à l'extérieur, dans un jardin par exemple, nous avons alors plus de latitude. Mais ne jamais oublier que l'endroit choisi est l'écrin dans lequel se déroulera la réception, et qu'il doit être adapté et décoré pour la circonstance.

Comme il est plus difficile de modifier la décoration d'une pièce, il faut plutôt harmoniser le reste de la décoration (les fleurs, la table, les couleurs des accessoires) avec l'endroit choisi. Quelques accessoires sont une aide précieuse : les plantes d'intérieur qu'on peut emprunter momentanément dans d'autres pièces pour l'occasion, des tableaux, une table mieux adaptée, etc. Chaque élément doit tenir compte non seulement du type de réception, mais encore du menu servi et doit renforcer l'idée de base sans l'alourdir.

L'éclairage

La lumière constitue elle-même un décor. Le jeu de son intensité, la disposition des sources lumineuses mettent en relief l'espace dans lequel on va célébrer le festin.

Si une lumière éblouissante est à proscrire, un éclairage insuffisant entraîne la morosité. Il faut donc savoir doser et jouer avec la lumière. Par exemple, des spots ponctuels mettent en valeur un tableau, une belle plante, un arrangement floral ou encore une oeuvre d'art; un éclairage indirect, venant d'appliques murales ou du plafond, crée une ambiance générale douce. Une règle de base importante: à table, l'assiette doit toujours être bien éclairée.

Si l'éclairage électrique est plus facilement contrôlable, il n'en reste pas moins que la bougie donne la lumière la plus douce, la plus belle et la plus séduisante. Elle adoucit les traits du visage, flatte le teint et embellit les parures.

Il existe une très grande variété de bougies qui peuvent s'utiliser sur la table aussi bien que dans le reste de la pièce, sur un manteau de cheminée ou un buffet. Choisir des bougies aux formes, aux tailles et aux couleurs qui s'harmonisent avec l'ensemble de la table et de la pièce, et aussi, bien sûr, avec leurs supports (bougeoirs, candélabres, centres de tables, etc.).

On peut, avec bonheur, utiliser les deux types d'éclairage (électrique et bougies), en ne perdant jamais de vue qu'un éclairage électrique ne doit pas se superposer violemment à la lumière d'une bougie, dont il annule l'effet naturel. L'un et l'autre doivent se compléter et se mettre mutuellement en valeur.

L'éclairage de la pièce doit être un jeu bien dosé où l'on s'efforcera de mettre en relief, en premier lieu la table, ensuite les personnes elles-mêmes et enfin l'environnement, lequel ne doit pas distraire de ce qui se passe sur la table mais au contraire la faire ressortir de l'ensemble.

Forme de la table et mobilier

Ce sont les hôtes qui président. *A l'anglaise,* les hôtes sont chacun en bout de table. *A la française,* ils président face à face au milieu des côtés longs. Ces modes se rapprochent suivant le format de la table. En effet, si la table est ronde ou carrée, il est bien sûr qu'il n'y a plus ni de côté long, ni de côté court. La forme de la table est fonction de ses besoins et des meubles à sa disposition. Mais disons qu'un format allongé sera plus indiqué et pratique pour des invités nombreux ou encore pour un buffet où l'on doit présenter beaucoup de choses. On peut obtenir un format rectangulaire en plaçant bout à bout deux tables carrées, et une très longue table avec deux ou plusieurs tables rectangulaires.

La table ovale se rapproche du format rectangulaire, ayant un arrondi long et un arrondi court.

Il existe d'autres dispositions comme en « carré », en « fer à cheval », ou un arrangement de plusieurs tables comprenant une table en ligne droite pour une table d'honneur, plus d'autres tables de formes différentes à proximité, dans le cas d'un mariage par exemple.

NOTE: Les tables de huit couverts ne favorisent pas la disposition à l'anglaise: alternance des hommes et des femmes avec les hôtes aux extrémités. Aussi la disposition *à la française* sera meilleure pour résoudre ce problème. Une table ronde convient également parfaitement (voir «Ordonnancement et préséance», à la page 58). A noter également que les tables rondes se prêtent bien à la conversation, car tous les invités se font face.

Les tables roulantes: très utiles, elles servent de desserte durant les repas et évitent à la maîtresse de maison de se lever trop souvent.

La table roulante recevra les plats maintenus chauds puis la vaisselle et les accessoires de table après usage. Pour éviter de faire tomber les couverts, on peut munir la table roulante de petits récipients cylindriques pour les contenir. On peut aussi y installer un bar roulant pour l'apéritif et les digestifs, servir le café ou le thé.

Les chaises: dans les hôtels-restaurants on met, pour les banquets, des chaises pas très confortables afin que les clients ne s'éternisent pas trop longtemps à table. Du moins on le dit. Il n'en sera pas de même à la maison. Soucieux d'une bonne position de la colone vertébrale et aussi du bien-être des convives, on veillera à avoir des chaises confortables et bien adaptées à la fois au corps humain et à la hauteur de la table. Les pieds des chaises ne doivent en aucun cas être trop longs pour éviter que les pieds se balancent dans le vide.

Avant le repas, les chaises ne seront pas engagées sous la table mais alignées sur le bord de celle-ci. Éviter également de placer un convive vis-à-vis d'un pied de la table. C'est très inconfortable, surtout pour une dame.

La lingerie de table

L'usage de la nappe remonte au Moyen Age. Le seigneur avait l'habitude de manger à la même table que sa famille, ses invités et ses serviteurs. Mais lui seul avait sa nappe individuelle, les autres convives mangeaient à même la table. Plus tard, lorsque la nappe recouvrit toute la table, on mit une sorte de napperon rectangulaire pour différencier la place du maître (s'agit-il là du premier set de table?). Les invités de marque avaient l'honneur de partager la nappe du seigneur. Lorsqu'on voulait insulter un chevalier qui avait failli à l'honneur, on découpait la nappe de chaque côté de sa place, pour bien lui signifier qu'il ne mangeait plus à la même nappe que les autres dignitaires.

Autrefois, il n'y avait pas de serviettes non plus. Les Grecs s'essuyaient les mains et la bouche avec de la mie de pain qu'ils jetaient ensuite aux chiens. Plus tard, au Moyen Âge, on s'essuyait à même la nappe ou sur une « longuière », sorte de très longue pièce d'étoffe posée sur le bord de la nappe. C'est au XVe siècle seulement qu'on vit apparaître l'usage des serviettes que l'on posait alors sur l'épaule ou sur l'avant-bras gauche. Un siècle plus tard, on la nouait autour du cou pour protéger les collerettes qu'on portait alors. Une opération difficile qui obligeait le convive à se faire aider. C'est de là que viendrait l'expression « joindre les deux bouts ».

A cette époque, on pliait déjà les serviettes en formes diverses et artistiques (oiseaux, fruits). Cette pratique fut abandonnée puis reprise au milieu du XIXe siècle. Elle subsiste encore aujourd'hui.

Choisir sa lingerie de table en tenant compte du type de réception, du style de la vaisselle et de la décoration de la pièce. Par exemple: murs tapissés de papier peint avec une nappe unie blanche, crème ou pastel dans la gamme du papier. A remarquer que sur un tissu blanc on peut se permettre toutes les fantaisies.

La nappe: pour les grands repas de cérémonie, la nappe et les serviettes blanches sont de rigueur. Pour les réceptions plus intimes, les couleurs sont acceptées et même conseillées parce qu'elles sont plus gaies à l'oeil. Attention: on doit tenir compte de la vaisselle et du décor de la pièce, comme nous l'avons dit plus haut, mais aussi du menu servi. Une couleur peut être « indigeste » suivant son environnement et les mets qu'elle supporte. Les couleurs chaudes, comme le rouge, excitent l'appétit et donnent un air de fête à votre table.

Pour un buffet, la nappe tombe jusqu'à terre.

CONSEILS ET SUGGESTIONS:

— Un molleton entre la nappe et la table donne une meilleure tenue au linge et protège la surface de la table de la chaleur des plats. Une fois le tissu posé sur la sous-nappe, donner un léger coup de fer; seul le pli central est accepté (parce qu'au Moyen Age, on pliait les nappes en deux pour pouvoir les retourner).
— Pour ranger nappes et molletons, utiliser un manche à balais ou un rouleau de carton pour les enrouler et éviter ainsi les plis.

— Prévoir un second molleton de dimension adaptée à une table agrandie de rallonges.
— Ne pas mélanger une vaisselle fleurie avec une nappe à carreaux. Si on tient à utiliser des assiettes à motifs sur une nappe imprimée, prévoir un dessus de table intermédiaire uni, coordonné à la teinte dominante.
— Un rideau de dentelle de coton posé sur une sous-nappe de couleur permet de varier le décor en changeant la couleur de la sous-nappe.
— Une table ronde permet de superposer plusieurs jupons et nappes.
— Un châle peut être utilisé comme nappe à thé.
— Pour une grande table, utiliser un drap blanc ou de couleur. Si la retombée est insuffisante, brocher un volant au bord de la table.
— Une bande de tissu étroite peut relier deux couverts face à face.
— Il y a place pour beaucoup de variantes et de fantaisie. On peut acheter du tissu à son goût et aux dimensions requises, il ne reste plus alors qu'à faire un ourlet.

Les serviettes: les serviettes sont assorties à la nappe ou au set. Pour un effet plus décoratif, elles seront unies, dans la même couleur, ou en harmonie. Des serviettes unies s'agencent bien à une nappe imprimée, alors que des serviettes à motifs égayent une nappe unie. Elles seront grandes et unies pour les repas de cérémonie, moyennes et fantaisistes pour les repas intimes, petites pour le thé, en papier à l'extérieur si l'on mange avec ses doigts (buffet, B.B.Q, pique-nique, fête d'enfant, etc).

Pour les décorer: anneaux, rubans, coquillages, noeuds, pliage de fantaisie, fleurs, etc.

NOTE: Lorsque l'on sert des mets très salissants que l'on peut manger avec ses doigts, comme les pinces de homard, il vaut mieux donner une serviette humide et chaude sur une assiette de service à chaque convive pour se nettoyer les doigts après la dégustation du mets.

Les sets de table: qu'ils soient ronds, carrés, rectangulaires, ovales, en tissu, en bois, en verre ou en liège, ils ne se posent jamais sur la nappe mais directement sur la table. Pourtant, les seigneurs le faisaient bien au Moyen Age. Alors? L'important est de faire comme on l'entend et comme on le sent. Si la décoration est réussie, tant mieux. Ce qui est sûr, c'est qu'ils sont déconseillés pour les grands repas et tout à fait interdits pour les cérémonies.

L'usage des sets permet d'admirer la beauté du plateau d'une table ancienne, il met en valeur le verre, le marbre ou la laque où viennent se refléter les flammes des bougies, ajoutant aux charmes de la table.

La vaisselle

Aujourd'hui, la vaisselle de table comporte une grande variété de formes et de motifs. On peut se permettre toutes les fantaisies pour un repas intime, mais lorsqu'il s'agit d'une réception protocolaire, on se doit d'utiliser de la vaisselle traditionnelle et raffinée.

Prévoir deux services de table: un ordinaire, de fantaisie, pour tous les jours et les invitations amicales; un second, plus élégant, pour les réceptions, les grandes occasions ou pour un tête-à-tête raffiné.

Pour réduire les frais, on peut combiner les deux services, en choisissant des couleurs coordonnées. Par exemple: vaisselle de tous les jours de couleur et vaisselle de réception blanche avec ou sans liseré de couleur, ou un léger motif assorti à l'autre service. Toujours dans la même harmonie colorée, on peut prévoir aussi quelques petites assiettes à salade avec des motifs plus importants pour apporter fantaisie et gaieté à la table.

Une combinaison simple et de bon goût est toujours préférable à un mariage malheureux. La surcharge de décoration qui entre en conflit avec la présentation et la couleur des mets est à éviter. L'accent coloré peut alors être réservé au linge de table (nappes, serviettes), excepté pour les cérémonies où l'on utilisera toujours du blanc.

Il faut un minimum de six couverts comprenant:

- 1 bol à soupe avec son assiette
- 1 assiette à entrée (peut servir d'assiette à salade et à dessert)
- 1 assiette à dîner (peut servir d'assiette de présentation)
- 1 tasse
- 1 soucoupe

NOTE: ne jamais superposer deux assiettes de même diamètre.

Facultatif:

- 1 assiette de présentation en laiton, acier poli ou argent
- 1 assiette à pain
- 2 ou 3 plats de service (pas plus si l'on désire servir directement dans l'assiette, à la cuisine).

Chaque mets doit être servi dans un contenant individuel pour le service à table. Ces plats doivent correspondre au mets et tenir compte des impératifs logiques qui en découlent.

Le service de table doit comprendre au minimum:

— des plats longs et peu profonds pour présenter les poissons et certains mets qui ne contiennent pas beaucoup de sauce
— 1 soupière
— 1 légumier
— 1 saladier
— 1 plat rond
— 1 plat rond et creux
— des raviers
— 1 saucière

On peut choisir un service de vaisselle permettant d'ajouter les plats de service et les accessoires de table assortis, au rythme de ses besoins et de ses moyens. Par exemple, on peut se procurer ultérieurement un légumier, un saladier ou grande coupe, un plat allongé pour le poisson ou la viande rôtie, deux chandeliers, une saucière, etc. Certains mets servis directement dans les assiettes à la cuisine ne nécessitent pas l'acquisition immédiate de plats de service. Il en est de même pour le service à café et à thé: en servant directement dans les tasses à la cuisine et en les apportant sur un plateau au salon, on peut retarder l'achat de la cafetière et de la théière.

NOTE: choisir un service dont le modèle ne risque pas d'être discontinué, et ce afin de pouvoir remplacer une pièce cassée ou effectuer des achats complémentaires.

Le couvert et les ustensiles

Jadis, il n'y avait pas réellement de couvert. On mangeait avec les doigts. On se servait d'une cuillère pour les liquides et les viandes étaient tranchées avec un couteau qui servait aussi à piquer les morceaux avant de les porter à la bouche. Suivant l'époque, les gens de la « bonne société » se rinçaient les doigts dans une bassine d'eau parfumée, s'essuyaient avec de la mie de pain ou à même la nappe lorsqu'il y en avait une. La fourchette ne vint que bien plus tard. Déjà connue des Romains comme ustensile de cuisine, elle était d'abord constituée d'un manche et de deux longues pointes. C'était la fourche. Ce n'est que vers le XIVe siècle qu'elle prit sa forme définitive. La mode vestimentaire des jabots et des collerettes obligea l'allongement de la tige du manche et le raccourcissement des dents ou pointes. La fourche devint alors fourchette. Les dents se multiplièrent pour faciliter la prise de certains aliments comme les petits pois, difficiles à prendre avec une fourchette à deux dents. Même si elle existait déjà à cette époque, l'usage de la fourchette fut long à s'imposer. Jusqu'au XVIIe siècle, on préféra encore manger avec ses doigts.

L'apparition de la fourchette modifia aussi la forme du couteau de table, dont la pointe devint inutile puisqu'on pouvait dès lors piquer les aliments avec la fourchette. On vit alors la pointe du couteau s'arrondir. Certains prétendent que les pointes des couteaux furent arrondies pour éviter que le roi de France, Charles VI, ne se blesse ou ne blesse son entourage lors de ses crises de folie.

NOTE: Les couverts étaient autrefois très personnels. On les amenait avec soi. On inventa même des couverts repliables, qui pouvaient facilement se transporter dans un étui que l'on attachait à la ceinture. Puis la mode et la fabrication des couverts dans des matériaux nobles et onéreux, comme l'or et l'argent, en ont fait quelquefois de véritables pièces d'orfèvrerie difficilement transportables à cause de leur valeur (certains couverts étaient même pourvus de manches incrustés de pierres précieuses) Ils furent donc mis à la disposition des convives sur les lieux même du festin, ces derniers devant les laisser en s'en allant. Une pratique que certaines personnes n'ont pas encore bien comprise aujourd'hui, surtout dans les restaurants et les hôtels.

Le couvert: quelle que soit sa forme ou sa matière, un couvert doit être bien équilibré, agréable à tenir dans la main, et doit s'harmoniser avec le reste du service.

A droite de l'assiette, on place le couteau, tranchant vers l'assiette, et la cuillère à potage à l'extérieur. A gauche on place la fourchette.

Pour un grand repas, on mettra, à droite en partant de l'assiette, le couteau à salade ou à fromage, le couteau, le couteau à poisson, la cuillère à potage, la fourchette à huîtres ou la pince à escargots. A gauche, toujours en partant de l'assiette, la fourchette à salade, la fourchette, la fourchette à poisson. Pour la fourchette, le couteau ou la cuillère à dessert, on peut soit les placer horizontalement entre le verre et l'assiette, soit les apporter en même temps que le dessert.

En définitive, on place les couverts dans l'ordre où ils doivent être utilisés en commençant toujours par l'extérieur.

Pour les repas de cérémonie, on change de couvert à chaque plat. Pour les repas intimes, on n'y est pas obligé. Seule l'assiette est remplacée, excepté si on passe d'un plat de poisson à un plat de viande.

On utilise le couteau dans la main droite et la fourchette dans la main gauche. Si l'aliment ne se mange qu'avec la fourchette, on peut s'en servir de la main droite et, après usage, on la replace à gauche ou on la laisse sur la droite dans l'assiette. Dans ce cas, le couteau reste à sa place.

En cours de repas, si l'on a besoin de poser son couvert, on le met dans l'assiette, sur les bords extérieurs de celle-ci. Les manches ne doivent pas toucher la table.

Lorsqu'on a fini, on remet les couverts à leur place de chaque côté de l'assiette, lors d'un repas intime. Dans un grand repas, on met les deux couverts côte à côte (les dents de la fourchette vers le haut), sur la partie droite de l'assiette. En aucun cas ne reposer ses couverts en croix.

REMARQUES: Si l'on n'a pas de couteau à poisson, ne pas utiliser le couteau ordinaire, mais seulement la fourchette.

On ne porte pas son couteau à sa bouche, quelles qu'en soient les circonstances.

On n'utilise jamais son couteau pour couper la salade, le foie gras, les oeufs, les gâteaux et le pain. Si la salade ne se coupe pas au couteau, on peut utiliser ce dernier pour plier les feuilles que l'on piquera avec la fourchette. En définitive, ces façons de faire étaient justifiées autrefois parce que les couteaux avaient le plus souvent des lames de fer; celles-ci s'oxydaient rapidement au contact des assaisonnements acides et de certains aliments auxquels elles donnaient un goût ferreux désagréable. En ce qui concerne le pain, cela vient d'une coutume rituellique qui veut que l'on ne coupe pas le pain mais qu'on le rompe avec les mains.

La cuillère à potage s'utilise par le bout et non par le côté (mode britannique). Ne pas souffler dessus, ni faire de bruit en aspirant le liquide.

Liste des couverts individuels:

— couteau ordinaire
— couteau à salade et à fromage
— couteau à poisson
— couteau à dessert

— fourchette
— fourchette à salade et à fromage
— fourchette à poisson
— fourchette à huîtres et à escargots
— fourchette à dessert

— cuillère à potage
— cuillère à dessert
— cuillère à caviar (jamais en métal)

Les ustensiles: pour faciliter le service de table et le transfert des aliments jusque dans l'assiette des convives, on utilise des ustensiles de table. Plus gros que les couverts individuels, ils servent à tout le monde, ne se portent jamais à la bouche et leurs formes varient suivant l'usage auquel ils sont destinés.

Liste des ustensiles courants nécessaires aux différents services de la table:

— cuillères et fourchettes de service pour les différents plats
— cuillère et fourchette à salade (la fourchette n'a, en principe, que deux dents)
— cuillère à sauce
— grand couteau effilé et fourche ou grande fourchette pour découper les viandes et la volaille
— louche à potage
— pelle à gâteau et à tarte
— pelle à dessert crémeux
— couteau à beurre
— cuillère à caviar (jamais en métal)
— couteaux à fromage
— cuillère à ragoût

La verrerie

En Orient, on connaît le verre depuis le quatrième millénaire avant Jésus-Christ.

Dès que le verre fut inventé et qu'on pût le travailler, on l'employa pour faire des récipients. Très vite, dans les maisons aisées, il remplaça la terre cuite et le métal pour les verres à boire, car il permettait de voir le liquide par transparence, alliant ainsi le plaisir de la vue à celui du goût.

Une table raffinée demande du cristal. Son indice de réfraction est supérieur à celui du verre, ce qui explique sa beauté scintillante, sa transparence et sa finesse qui le font préférer au verre ordinaire par les connaisseurs. De plus, il a une sonorité exceptionnelle.

Mais pour tous les jours et pour les repas intimes, on préférera le verre, moins cher et dont le grand choix permet beaucoup plus

d'originalité. Pour ce qui est des verres de fantaisie, comme les gobelets en grès, en plastique ou en carton, on les réservera pour certains cas très précis. Par exemple, avec une paëlla on mettra un service rustique dont les gobelets en terre cuite émaillée sont parfaits pour boire la sangria. Pour ce qui est du plastique et du carton, les réserver pour les pique-niques, les buffets de campagne ou les fêtes d'enfants, et encore, tout le monde ne les aime pas.

Pour réussir la décoration d'une table, il faut bien sûr que le choix des verres soit en harmonie avec le reste du service. Un fin cristal sera, par exemple, dévalorisé par une assiette en grès.

Lorsqu'on achète un service de verres, veiller à ce qu'il soit d'une série continue et qu'il sera toujours possible de remplacer les pièces brisées ou encore de le compléter.

A noter que le service de table comprend, outre les verres, d'autres pièces qui peuvent également être en verre ou en cristal, comme les bols rince-doigts, les coupes à crème glacée, les récipients à glaçons, les pichets à eau, les brocs et carafes à vin, etc.

Verres à apéritifs:

Verres à cocktail: sorte de coupe à champagne en plus profond, ou encore, verres à jus de fruits.

Verres à whisky: verre cylindrique sans pied. Le verre à whisky peut aussi servir pour d'autres alcools comme le gin. *Servi sec ou sur glace:* verre bas, large et trapu; *servi allongé d'eau, de tonic ou de jus de fruit:* verre plus haut et légèrement moins large.

Verre à jus de fruit (ou à jus de tomate): comme le verre à whisky haut.

Verres à bière: la bière peut se servir dans un verre à whisky haut, dans un verre à pied court en forme de tulipe et à col étroit, dans un verre haut, étroit de base et évasé vers le haut ou encore, et le plus souvent, dans une chope. Ce dernier récipient, de forme cylindrique haute et large avec une anse, peut être en verre, en terre cuite ou en métal.

La bière peut se servir aussi bien en apéritif qu'à table avec des mets comme la choucroute et, pourquoi pas, une bonne saucisse de porc ou du boudin noir grillé avec des pommes de terre rissolées.

Verres de table:

Verre à eau: c'est le plus grand de tous les verres. Il doit être mis sur toutes les tables et devra comporter un pied pour les repas de cérémonie. Dans ce cas, il aura si possible la forme du verre à vin rouge.

Verre à bourgogne rouge: c'est le plus grand des verres à vin. Il est de forme ballon à col large.

Verre à bordeaux rouge: en forme de tulipe, ce verre est d'habitude utilisé pour tous les vins rouges.

Verre à vin blanc: c'est le plus petit des verres (eau, vin rouge et vin blanc). Habituellement, il est en forme de tulipe mais un peu plus étroite que celle du bordeaux rouge.

Verre à vin d'Alsace: il est de forme ballon sur un pied très haut.

La coupe, la flûte ou la « tulipe » à champagne: on peut boire le champagne dans l'une ou l'autre, c'est selon son goût. Il n'y a pas de règle précise à ce sujet. La flûte se présente haute et étroite, tandis que la coupe est large avec le bord évasé. Le verre « tulipe » est un compromis entre les deux et est, à notre avis, l'idéal pour déguster le champagne. En fait, la coupe devrait être proscrite et réservée aux entremets glacés, car, de par sa forme, elle dissipe le bouquet du vin. On lui préférera la flûte ou, encore mieux, la « tulipe ».

Verres à alcools: les alcools secs et forts comme le cognac se servent en général dans des verres bombés avec une ouverture étroite. Ils sont montés sur un pied court. On peut les garder dans la main ou les mettre près d'une bougie pour tiédir l'alcool qui développera mieux son arôme en bouche et brûlera moins l'estomac. Il est à noter que malgré sa douceur, le Grand Marnier est un cognac. Il peut donc se servir dans ce type de verre.

Verres à liqueur (alcool): les alcools doux, comme le triple sec ou la noisette, se servent dans un petit verre d'environ une once. A noter que certains alcools doux, comme le Marie-Brizard, peuvent se servir sur glace dans un verre à cognac.

Il existe d'autres verres de fantaisie ou spéciaux comme le verre à châteauneuf-du-pape comportant des armoiries papales gravées, les verres à vouvray, etc.

NOTE: les verres de table pour les repas de cérémonie doivent toujours avoir un pied. Personnellement je préfère toujours boire un vin quel qu'il soit dans un verre à pied. Question de goût.

IMPORTANT: pour les amateurs de grands vins, il est préférable de ne pas employer de verres teintés, de fantaisie, craquelés, avec des bulles d'air, ou autres. Ces verres empêchent d'apprécier la robe, c'est-à-dire la couleur du vin. N'utiliser que du verre ou du cristal blanc pour les repas de cérémonie.

La forme d'un verre est en général étudiée pour profiter au maximum des qualités d'un vin. Par exemple, un col (ouverture) étroit retiendra mieux les arômes, surtout s'ils sont très volatils. Également, un pied permet de tenir un verre sans placer les doigts directement sur le corps de ce dernier, évitant ainsi de laisser des marques de doigts et de chauffer le vin (indispensable pour les vins à boire frais comme les beaujolais nouveaux, les blancs et le champagne).

Les accessoires de la table

Sauf pour les chandelles, tous les accessoires qui composent le décor d'une table doivent être en dessous du niveau des yeux afin de ne pas gêner la vue des convives.

Les accessoires ne doivent en aucun cas gêner le service de la table. Ils peuvent être utilitaires, comme les rince-doigts, ou seulement décoratifs, comme les centres de table.

Liste sommaire des accessoires:

— salière et poivrière (soit une par convive, soit une pour deux convives, soit enfin une à chaque extrémité de la table)
— moutardier
— huilier (burettes pour l'huile et le vinaigre)
— chandelier
— rince-doigts (un par convive, placé en haut et à droite du couvert)
— cendrier (sur la table: une coupelle discrète de métal, de verre ou de faïence)
— dessous de plat ou de bouteille
— corbeille à pain
— panier à bouteille
— seau à glaçons
— seau à bouteille
— chauffe-plat
— brosse de table
— ramasse-miettes
— centres de table (accessoires divers et si possible thématiques: fleurs, éléments décoratifs)

Notes spéciales:

Les chandelles: on les utilise seulement le soir et elles doivent être allumées avant de passer à table. Pour être agréables, elles devront brûler au-dessus ou au-dessous du niveau des yeux des convives.

Les rince-doigts: très utiles lorsqu'on est obligé de se servir de ses doigts pour manger. Dans ce cas, il s'agit d'un récipient contenant de l'eau et du citron (l'acidité dégraisse plus facilement). On peut laisser flotter une rondelle de citron, très décorative au surplus.

Se servir du rince-doigts discrètement, du bout des doigts, que l'on essuyera avec sa serviette de table. On peut remplacer les rince-doigts par des serviettes chaudes et humides servies sur une assiette de service. On les repose ensuite sur l'assiette de service après usage.

Les centres de table: les centres de table sont des éléments décoratifs très appréciés. En fait, il s'agit tout simplement d'un décor qui se trouve au milieu de la table. Cela peut être des fleurs, des bougies ou encore mieux des arrangements d'objets décoratifs qui viendront rappeler et renforcer le thème du repas s'il y en a un. Par exemple, un arrangement de beaux coquillages, de fleurs et de quelques galets de silex bien disposés à même la nappe ou sur un petit plateau rehaussera agréablement un repas à base de poissons.

On peut laisser libre cours à son imagination tant que l'on s'accorde avec l'harmonie générale de la table. Un centre de table réussi fait preuve d'originalité, de bon goût et de raffinement. C'est un plaisir pour les yeux.

Les fleurs

Historiquement, l'arrangement floral était maîtrisé par les hommes. Les grandes maisons étaient fleuries par les jardiniers et, dans les concours, on ne rencontrait le plus souvent que des hommes. Ce n'est que depuis quelques années seulement que cette occupation est considérée comme «féminine».

L'art floral demande beaucoup de soins, de patience et de temps. Un bel arrangement floral donne un air de fête à une réception. On peut confier cette tâche à un fleuriste professionnel, surtout s'il s'agit d'un événement important comme un mariage ou un baptême. On peut également le faire soi-même. En fait, l'art floral est à la fois complexe et très simple. On arrange les fleurs selon son coeur et son goût personnel, mais il faut quand même respecter quelques règles dont les premières sont l'harmonie et la simplicité.

Le choix de la décoration florale dépend à la fois du décor dans lequel elle se trouve et du type de réception envisagé. Il est donc nécessaire de connaître les quelques règles de base suivantes:

Recherche de l'équilibre: il faut veiller à ce que la masse du bouquet, quelle que soit sa forme, paraisse en équilibre par rapport à une ligne ou un axe imaginaire vertical partant du centre du récipient dans lequel on compose le bouquet.

La couleur: il faut également tenir compte de l'harmonie des couleurs des fleurs entre elles. Pour les arrangements monochromes, les compositions toutes blanches et toutes vertes viennent en tête. Mais d'autres variations peuvent être envisagées et doivent toujours tenir compte de la décoration intérieure ou de l'environnement du lieu de la réception ainsi que du type d'événement (repas intime, cérémonie, etc.).

Pour les débutants, il vaut mieux limiter l'expérience à trois ou cinq fleurs différentes. Il est conseillé de mettre moins de fleurs plutôt que de surcharger.

Pour faire un arrangement, on commence par installer la première fleur verticale au centre puis les fleurs qui déterminent les grandes lignes de la forme finale du bouquet. Ensuite, il suffit de remplir les vides avec d'autres fleurs. Tel est le grand principe de base.

Quelques conseils pratiques:

— Pour piquer les fleurs, toujours les tenir près de la base de la tige.

— Exploiter au maximum la courbure naturelle de certaines tiges en orientant la fleur de façon à lui donner le plus de valeur et d'élégance possible.

— L'arrangement se fait en une seule fois. Ne pas terminer qu'un seul côté à la fois mais tout l'ensemble, en n'hésitant pas à tourner le récipient sur lui-même au fur et à mesure de la construction de l'arrangement.

Différentes formes de la masse des fleurs:

Boules et demi-cercles (ou éventail): c'est la forme la plus courante des arrangements. Elle rappelle la forme du simple bouquet qui se forme naturellement lorsqu'on cueille des fleurs dans un champ. La demi-boule peut s'étirer en ovale vertical qui peut être rehaussé par l'utilisation d'un vase haut, ou encore, elle peut s'étirer en ovale horizontal, par exemple pour un centre de table (dans ce cas on utilisera un récipient bas).

Les triangles: de même que les précédentes, ces formes peuvent s'étirer dans le sens que l'on désire et on peut même les rendre asymétriques (attention à l'équilibre des masses).

Les cylindres et fuseaux: cette forme peut devenir très belle lorsque étirée vers le haut. Elle devient alors élancée et s'embellira encore davantage si placée dans un vase haut et étroit.

Quelle que soit la forme, il est indispensable de simplifier au maximum. Les Japonais excellent dans ce domaine jusqu'à se permettre de présenter une fleur unique et superbe dans un récipient bas et allongé, avec pour tout soutien une feuille verte ou une branche sèche. Mais leurs arrangements sont liés à tout un symbolisme et leur décoration intérieure est des plus sobres. Malgré tout, ils arrivent à des résultats surprenants.

Accessoires: pour les accessoires, une série de vases et coupes de formes différentes, des pique-fleurs ou de l'oasis, des fleurs, des bougies (pourquoi pas?), quelques idées et du goût, feront l'affaire. Comme nous l'avons dit plus haut, la réussite d'un bouquet dépend de plusieurs facteurs liés entre eux, comme le choix d'un vase, l'harmonie des couleurs et des formes des fleurs entre elles, l'équilibre de la masse du bouquet ainsi que le décor dans lequel il est placé. Mais un des facteurs les plus importants et qui détermine également bien souvent la forme du bouquet, c'est sans conteste le choix du récipient dans lequel trempent les fleurs. Ne jamais oublier qu'un récipient doit en général être plus petit que le bouquet et que plus le récipient est grand, plus on devra y mettre de fleurs. Une des erreurs les plus courantes est de choisir un récipient trop grand.

Types de récipients les plus courants:

Vases bas ou coupes basses et larges: ce type de vase demande l'emploi d'un pique-fleurs. Cette forme de vase s'harmonise bien avec des masses de fleurs de formes ronde ou triangulaire et, de façon générale, un peu touffues. Il se place bien sur une table basse ou un guéridon.

Vases hauts et étroits: permet des compositions élancées pouvant atteindre de deux à trois fois la hauteur du récipient. La fleur principale sera dans l'axe tandis que les autres viendront étoffer la base en dégradant vers le haut. Ce vase se place bien sur une commode, devant un miroir, dans un angle de pièce.

Vases hauts et larges: ce type de vase permet des compositions larges et somptueuses. Agréable avec des masses de fleurs en forme de triangle ou de cercle (boule). Il trouve sa place sur un meuble haut ou seul à même le sol.

Décoration et arrangements floraux: voici une section spéciale qui aurait pu être placée dans les accessoires mais nous avons préféré lui donner un peu plus d'importance en la séparant.

Les bougies: on peut mettre des bougies dans les arrangements floraux, notamment dans les centres de table. Dans ce cas, on les traite exactement comme s'il s'agissait de fleurs. Il faut tenir compte que, inclinées, certaines bougies peuvent couler et abîmer le dessus de votre table ou votre nappe. On les place le plus possible en position verticale, ou très légèrement inclinée comme dans le cas d'une composition en éventail. A noter qu'il existe des bougies spécialement conçues pour ne pas couler.

Les chemins de table: dans les grands repas, la table sera agréablement décorée avec un chemin de table, qui peut prendre la forme soit d'une bande de fleurs qui fait la longueur de la table, soit encore d'un cercle, d'un carré, d'un ovale ou d'un rectangle (suivant la forme de la table), disposé tout autour de la table entre le centre et les couverts. On prendra la précaution de cacher les tiges des fleurs avec d'autres fleurs ou avec du feuillage ou du ruban. Mais en aucun cas il ne faut déranger le service de la table ou l'usage des couverts avec cette disposition qui doit rester essentiellement décorative.

La fleur cadeau: une idée intéressante consiste à placer une fleur, soit sur la serviette, soit à la droite du couvert des femmes invitées. Elles pourront l'emporter avec elles en partant et l'on se souviendra de cette marque d'attention.

Les fleurs séchées: on évite de présenter sur la table des fleurs sèches ou artificielles, surtout pour les repas de cérémonie. On utilisera des fleurs fraîchement coupées.

Ordonnancement et préséance

Au moment des préparatifs, prévoir la façon de placer ses invités. Un bon plan de table consiste à placer ses invités en tenant compte des préséances, des affinités et des susceptibilités de chacun. On ne mettra pas deux «ténors», c'est-à-dire de grands causeurs ensemble, mais bien séparés afin que le centre d'intérêt ne soit pas d'un seul côté de la table. De même, éviter de placer côte à côte des gens qui ont des opinions trop opposées afin de prévenir les disputes. Le mieux serait d'ailleurs de ne pas les inviter ensemble, le même jour. Les places d'honneur seront réservées aux invités d'honneur suivant leur âge et leur rang social. En principe, il n'y a pas de préséance dans les repas intimes ou familiaux excepté lorsqu'on veut honorer une personne très âgée. Mais dans ce cas, il n'y a pas de protocole.

Les hôtes président face à face ou du moins à l'opposé de la table. Les premières places d'honneur sont à leur droite, c'est-à-dire que la première place d'honneur pour un homme est à la droite de l'hôtesse et pour une femme, à la droite de l'hôte. La seconde place d'honneur vient à la gauche des hôtes.

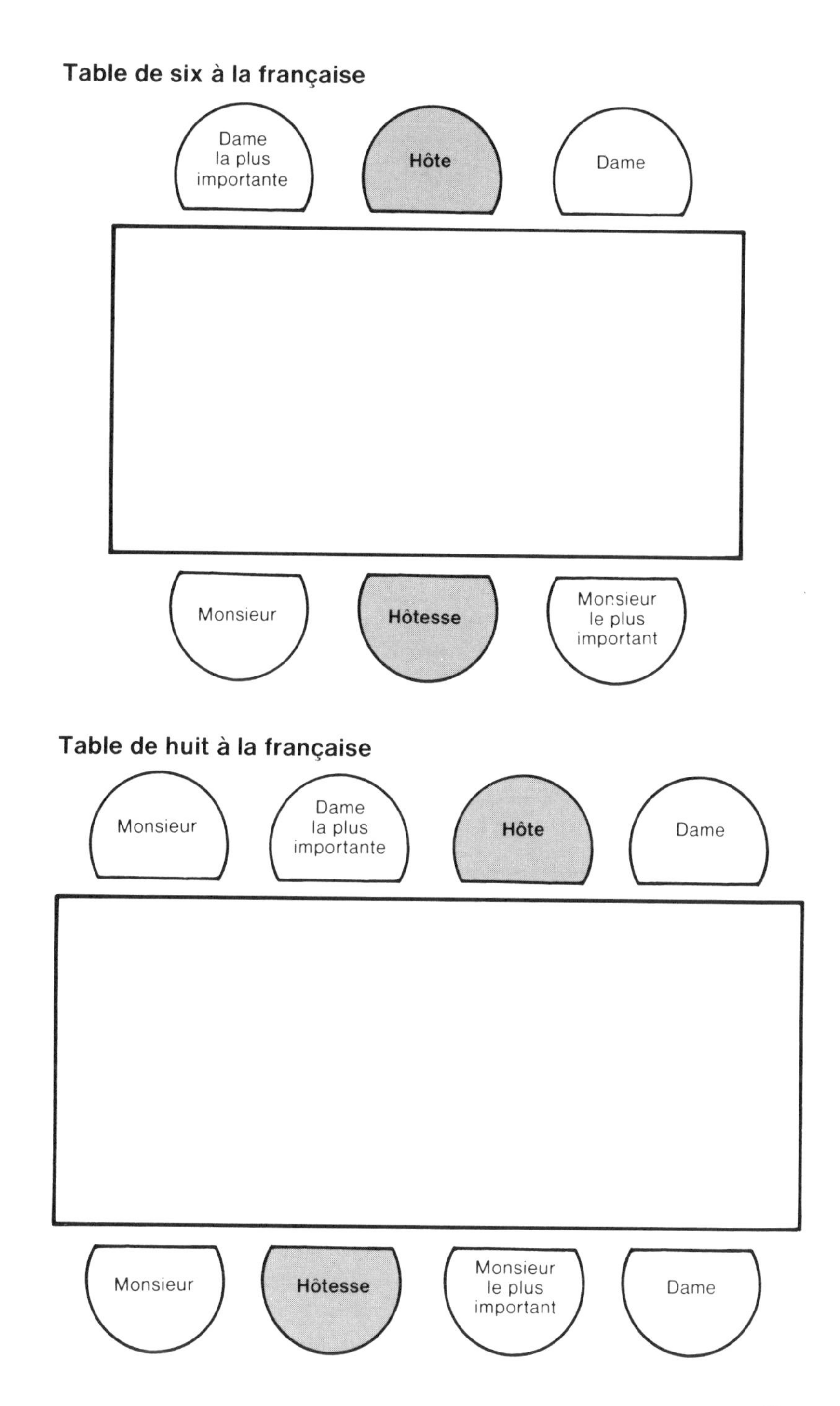
Table de six à la française
Dame
la plus
importante
Hôte
Dame
Monsieur
Hôtesse
Monsieur
le plus
important
Table de huit à la française
Monsieur
Dame
la plus
importante
Hôte
Dame
Monsieur
Hôtesse
Monsieur
le plus
important
Dame

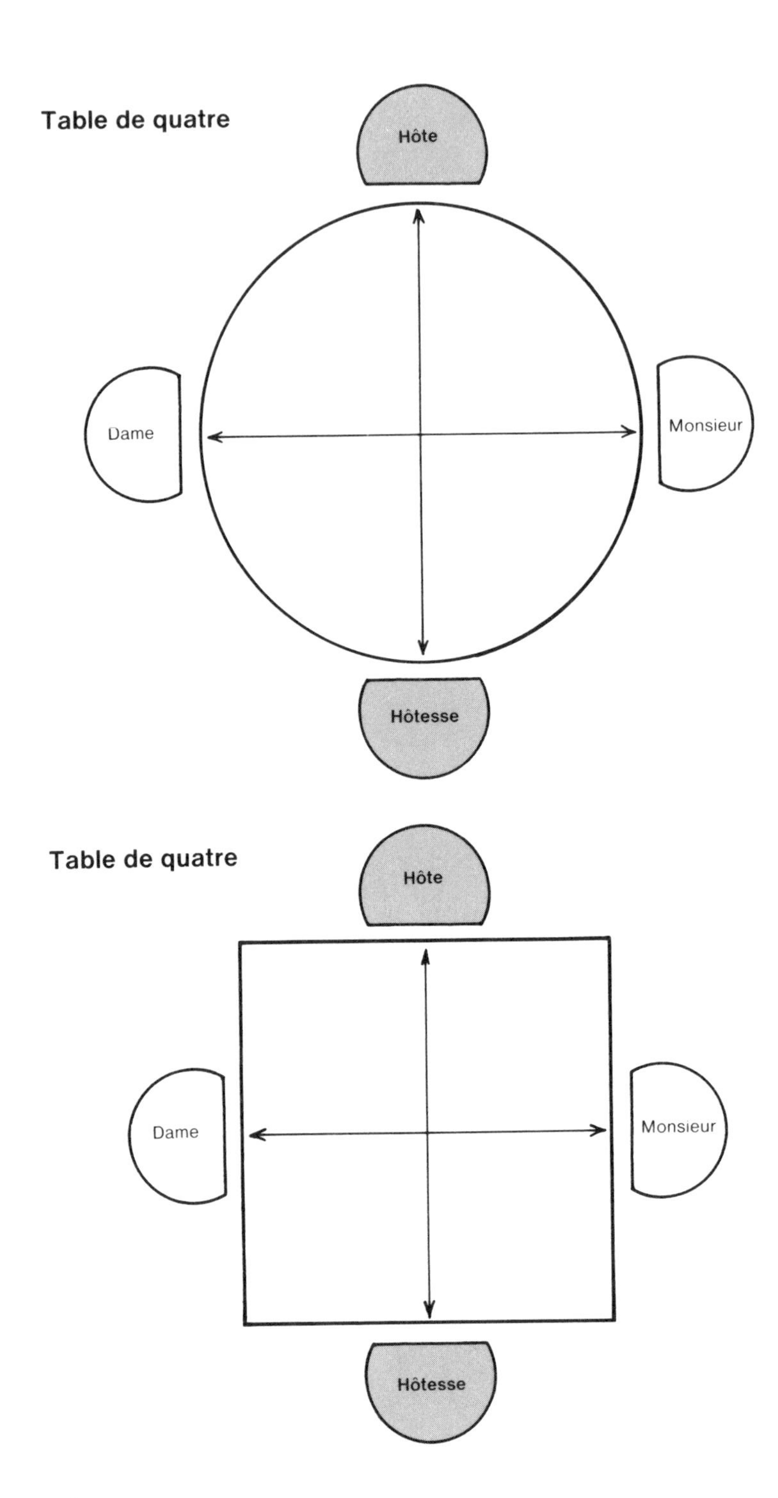
Table de quatre
Hôte
Dame
Monsieur
Hôtesse
Table de quatre
Hôte
Dame
Monsieur
Hôtesse

Table de six

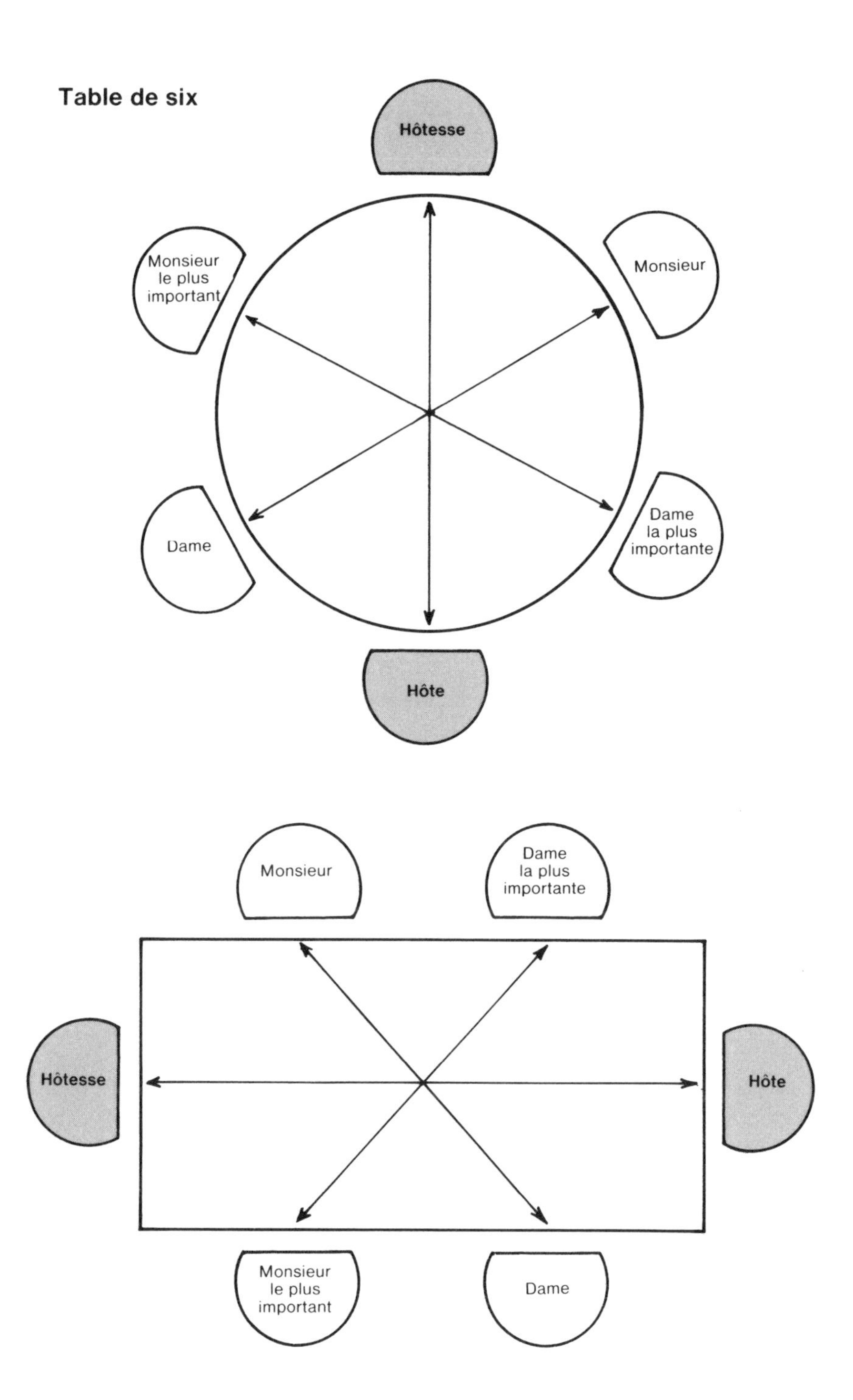
Hôtesse
Monsieur
le plus
important
Monsieur
Dame
Dame
la plus
importante
Hôte
Monsieur
Dame
la plus
importante
Hôtesse
Hôte
Monsieur
le plus
important
Dame

Table de huit avec serviteur
(pour service du vin)

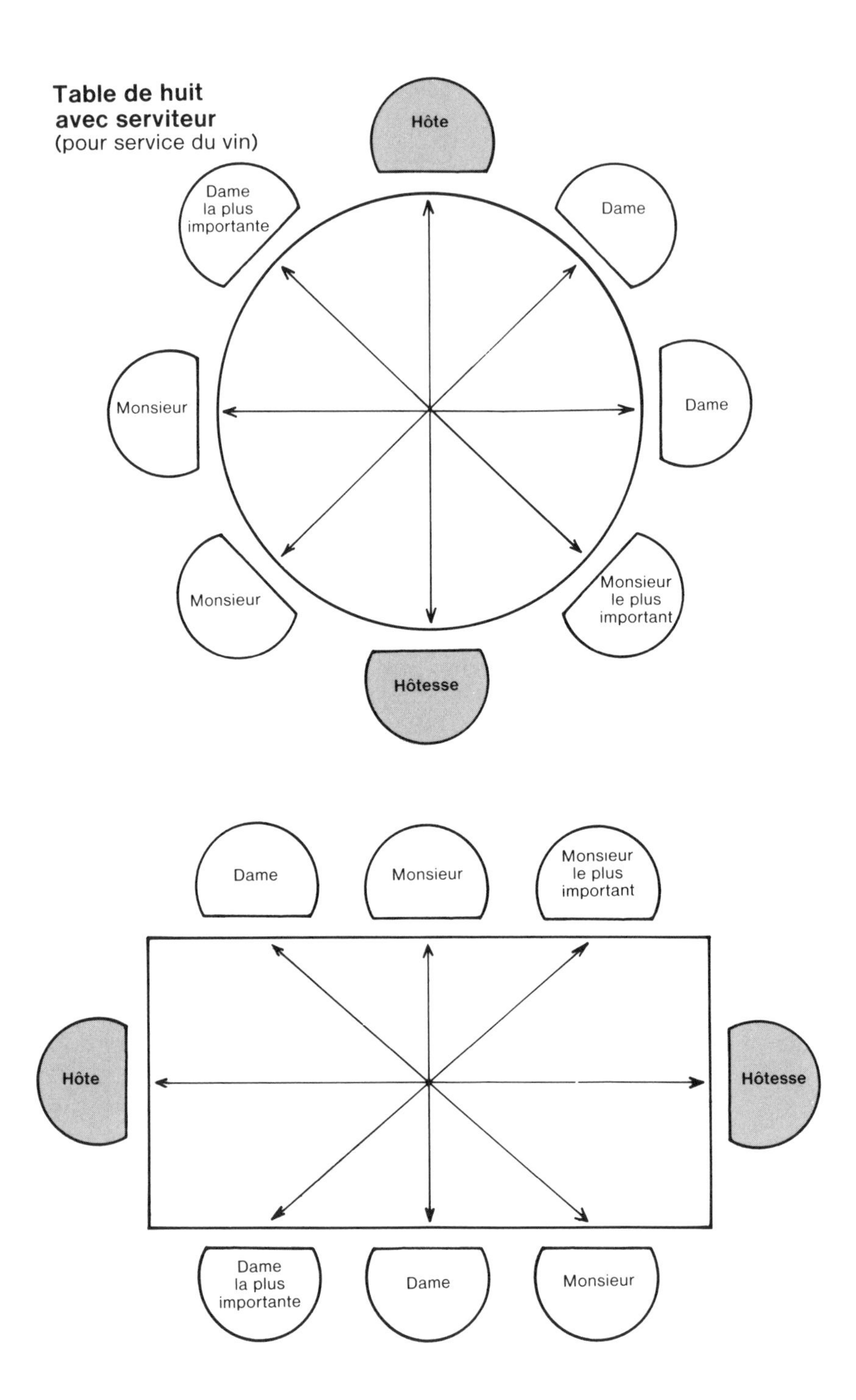

Lorsqu'il y a un invité de haut rang (duc, prince, ministre, etc.), c'est lui qui préside la table.

Si le nombre d'invités est trop grand et que l'on est obligé d'utiliser deux tables, chacun des hôtes préside une des tables et choisit un invité d'honneur pour l'aider à présider sa table. L'hôtesse choisira un homme et l'hôte, une femme. Les places d'honneur sont alors les mêmes que pour une seule table.

D'une façon générale, on place les gens en alternant hommes et femmes. De plus, on s'arrange pour mélanger le plus possible les personnes : on sépare les couples, les amis intimes, les membres d'une même famille, car ils risqueraient d'engager des conversations trop personnelles. On évite par contre de séparer des fiancés ou des jeunes mariés.

Si l'hôte ou l'hôtesse est célibataire, il demandera à l'invité le plus important de présider la table avec lui. Les autres places d'honneur sont les mêmes que d'habitude. Pour les corvées, on peut se faire aider par un ami.

NOTE : si on doit inviter son patron ou son supérieur hiérarchique, lui donner la place d'honneur sauf s'il y a un invité plus important, auquel cas lui donner la deuxième place d'honneur. Éviter de le placer trop loin, ce serait un manque de tact. Ou alors l'inviter une autre fois, spécialement pour lui.

Lors d'un buffet: lorsqu'il s'agit d'un buffet, il n'y a plus de problème d'étiquette. Néanmoins, faire passer d'abord les personnes âgées et les invités d'honneur avant d'inviter les autres personnes à se servir, et veiller à ce qu'elles aient une place assise bien située.

La musique

L'Ecclésiaste dit : « Il n'y a pas d'autre félicité qu'un festin accompagné de musique; ces deux plaisirs sont comparables à une émeraude enchâssée dans de l'or. »

On peut prévoir un fond musical en harmonie avec le thème du repas. Par exemple, de la musique orientale conviendra à un repas chinois, des valses pour des spécialités autrichiennes ou encore de la musique classique douce pour de grands repas de cérémonie (pas de Wagner ou de Beethoven, si possible).

La musique sera instrumentale seulement, pour ne pas gêner la conversation.

Toutefois, la règle la plus importante est que le niveau sonore ne doit en aucun cas couvrir les voix, même si la musique est très belle. Il s'agit uniquement d'un fond sonore destiné à créer une ambiance douce et harmonieuse, ou même particulière dans certains cas. Cela ne doit pas gêner les convives.

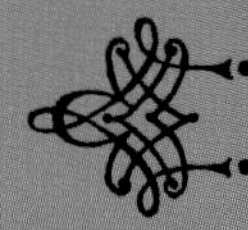

A bon couvert, bonne ambiance

Composition moderne alliant la simplicité du napperon, taillé dans un revêtement de sol, à l'élégance de l'argenterie et du verre, le tout égayé par un arrangement floral exotique.

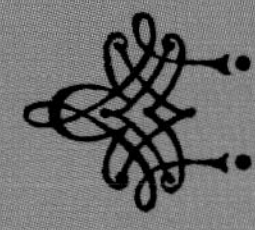

A bon couvert, bonne ambiance

Atmosphère de célébration. Table dressée pour un mariage, des fiançailles ou un grand dîner.

A bon couvert, bonne ambiance

Ambiance moderne rendue par une animation florale formée de deux longs bacs disposés en chemin de table. Chaque convive a devant lui un porte-nom et une chandelle basse. La serviette blanche pliée à plat donne une touche raffinée à l'ensemble.

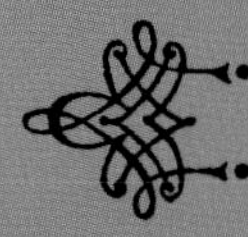

A bon couvert, bonne ambiance

Harmonie exotique, ambiance de soleil, d'été et de jardin.
En bas, ambiance d'automne, vaisselle rustique.

A bon couvert, bonne ambiance

Tête-à-tête en bleu et blanc autour d'un centre de table léger et discret.
En bas, ambiance de fête créée par de la jolie vaisselle jetable, rouge et blanc ici à l'occasion de la Saint-Valentin.

A bon couvert, bonne ambiance

Dîner de célibataire. L'austérité du couvert est adoucie par la présence de plantes vertes et de fleurs. Assiette de présentation en étain et vaisselle « gerbe de blé ». En bas, harmonie estivale de rouge, blanc et bleu pour la maison, la terrasse ou le patio.

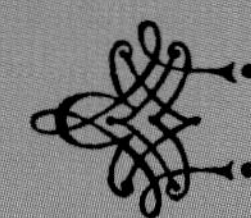

Ambiance tropicale. Le tapis de table très coloré, aux teintes chaudes, met en valeur la vaisselle blanche.

A bon couvert, bonne ambiance

Atmosphère romantique créée par la nappe de broderie ajourée posée sur une sous-nappe bleu ciel, la vaisselle décorative, les verres ciselés et la douce composition florale.

Une réception

L'arrivée des invités

Les hôtes doivent toujours s'organiser pour être prêts une heure avant l'arrivée des premiers invités afin d'être détendus pour les recevoir.

L'hôte ou l'hôtesse doit alors accueillir les invités à la porte. Si cela n'est pas possible, un ami intime peut le faire pour eux.

Au fur et à mesure des arrivées, les hôtes doivent présenter les invités les uns aux autres, leur offrir des boissons et veiller à ce qu'ils ne manquent de rien.

Présentations

En principe, on présente toujours un homme à une femme, excepté si la femme est très jeune ou si l'homme est âgé ou d'un rang social élevé. D'une façon générale, on respecte le statut social lors des présentations (par exemple: une jeune fille à une femme mariée, une dame à un prêtre, etc.).

Habituellement, on ne doit pas se présenter seul. Mais s'il y a trop de monde et que le maître de maison est très occupé, on pourra, dans certains cas, se présenter soi-même. Un homme se présentera à un autre homme et une femme à une autre femme. Mais il vaudra mieux qu'une dame demande aux hôtes de *lui présenter* un homme et réciproquement, il sera de bon ton qu'un monsieur demande à l'un de ses hôtes de *se faire présenter* à une dame. On remarquera la nuance entre les deux présentations: on en revient à présenter un monsieur à une dame et non l'inverse, à condition bien sûr qu'ils soient de condition et d'âge à peu près équivalents.

Au moment des présentations, il faut donner à chacun son nom en entier, et ne pas oublier les titres auxquels il a droit. Faire attention à ne pas écorcher les noms, certaines personnes pourraient en être offensées. Si on a oublié le nom de quelqu'un, ne pas hésiter à le lui redemander en s'excusant. Ce n'est pas impoli, et c'est mieux que de bredouiller.

Enfin, on peut donner une brève information, un point important qui concerne les personnes présentées, comme mentionner qu'un invité est le vainqueur du dernier tournoi de golf régional, ou encore un passe-temps important s'il s'agit d'un photographe chevronné et signaler si la personne a remporté un prix, etc. Ceci permet immédiatement de trouver un sujet de conversation intéressant et de mieux se connaître.

Salutations

En principe, on salue les gens en leur serrant la main. C'est la personne à qui l'on est présenté qui tend la main la première. Aujourd'hui, particulièrement en Amérique du Nord, on a tendance à ne plus faire qu'un salut de la tête. A proscrire pour les réceptions intimes comme pour les repas de cérémonie.

Quand arriver à une réception

Les buffets, les cocktails, les vins et fromages, etc., ont lieu entre certaines heures précises. On peut donc arriver quand bon nous semble. Il n'en est pas de même pour les repas servis à table. Le repas étant prévu pour une heure précise (la nourriture chaude n'attend pas), il convient d'arriver à l'heure exigée avec au plus un quart d'heure de retard. Si l'on prévoit plus de retard, il faut immédiatement en informer l'hôtesse en s'excusant et en donnant les motifs de son retard. En arrivant, et surtout si les convives sont déjà à table, s'excuser et prendre rapidement place. L'hôtesse pourra alors éventuellement faire des présentations sommaires.

Ne pas se lever et faire un tour de table pour serrer les mains. Un bref salut sera suffisant. On risquerait de désorganiser le service de la table ou de faire manger froid un plat servi chaud.

Lorsqu'un invité arrive trop en retard, il prendra le repas en cours et on ne lui resservira pas les plats précédant son arrivée.

Ces règles sont bien sûr surtout applicables à des repas officiels ou semi-officiels. Il est bien entendu que les règles seront plus souples lors d'un repas de famille ou entre amis intimes. Il ne faut cependant pas non plus négliger certaines règles de courtoisie, quel que soit le type de réception.

L'apéritif

Il est d'usage de servir, avant le repas, certains alcools dont le but est d'abord de faire patienter les invités en attendant que tout le monde soit arrivé. On peut également servir des amuse-gueule avec les apéritifs, car l'alcool ouvre l'appétit. Mais il vaut mieux se limiter à des aliments qui ne coupent pas la faim pour ne pas nuire au repas qui suit. Par exemple, les cornichons au vinaigre, les amandes salées et toutes les préparations à base de vinaigre et de sel ouvrent l'appétit. Mais attention, les aliments contenant une trop forte concentration de sel, comme les anchois, provoquent la soif et il serait dommage d'avoir des invités ivres au moment de passer à table.

Il faudra servir un assez grand assortiment de boissons alcoolisées ou non alcoolisées. Les boissons les plus courantes comme le whisky, le gin, le vermouth, le pernod, le rye, la vodka, avec du tonic, du jus de tomate, de l'eau gazeuse (club soda), des jus de fruits, etc., devront être disponibles. Par contre, un invité s'informera de ce qu'il y a afin d'éviter de demander une boisson qui n'est pas offerte.

A noter qu'il est très agréable de boire un verre de champagne comme apéritif. On pourra même, si cela est prévu, en consommer tout au long du repas. Dans le même ordre d'idée, les gens aiment de plus en plus prendre un verre de vin blanc sec, tout simplement. Bien frappé (glacé), un vin d'Alsace ou un anjou sec fera merveille.

Quelques idées d'apéritifs, cocktails et punches

Martini (Amérique du Nord)

3 parts de gin

1 part de vermouth français

deux cubes de glace

Servir avec une olive ou un zeste de citron.

Bloody mary

3 parts de jus de tomate

1 part de vodka

1 quartier de lime

1 trait de sauce Worchestershire

1 goutte de Tabasco

sel, poivre

3 glaçons

Servir dans un verre à whisky haut.

Planteur

1 part de jus de lime

3 parts de rhum blanc

sucre

filet de triple-sec (facultatif)

Servir avec de la glace pilée.

Collins

Jus d'un demi-citron

1 c. à thé de sucre

2 onces (60 mL) de gin ou vodka

Allonger avec du club soda.

Punch au citron

Dans un verre à whisky haut, mettre 2 onces (60 mL) de cognac, de rhum ou de gin; compléter jusqu'aux ¾ de citronnade.

Vodka orange (screwdriver)

2 onces (60 mL) de vodka

jus d'une orange

glace

Gin tonic

2 onces (60 mL) de gin dans un verre à whisky haut

Remplir jusqu'aux ¾ avec du *tonic water*. Servir avec de la glace et une rondelle de citron.

Sangria

On ne prépare la sangria qu'en quantité suffisante pour plusieurs verres, car sa préparation est un peu plus longue et doit être faite à l'avance.

5 L de vin rouge sec ordinaire

½ L de rhum brun

½ L de coca-cola

½ L de limonade gazeuse

1 kg de sucre

½ kg de citrons tranchés

½ kg d'oranges tranchées

1 c. à soupe de cannelle

Laisser macérer au moins une journée à température normale, si possible dans un récipient en terre cuite (grès). Servir avec de la glace.

Kir

Dans un verre à vin blanc, mettre ⅔ d'once (20 mL) de crème ou de sirop de cassis. Remplir le verre aux ¾ avec du vin blanc très sec et très frais.

Kir royal

Remplacer le vin blanc par du champagne ou encore par du vin blanc sec pétillant.

Americano

Dans un verre contenant 2 glaçons et 1 zeste de citron, mettre ⅔ d'once (20 mL) de campari

et 1½ once (50 mL) de vermouth italien

Ajouter du club soda et mélanger.

Prévoir pour le bar: citrons et limes, olives dénoyautées, cerises, glaçons.

On passe à table

Pour passer à table, on n'attend pas les retardataires qui ne se sont pas excusés au-delà de trente minutes, ou si l'on préfère, au-delà de quinze minutes après l'arrivée du ou des invités d'honneur s'il y en a.

Lorsque tous les invités sont là et que le service est fin prêt, le personnel de table annonce: « Madame est servie ». S'il n'y a pas de personnel, c'est la maîtresse de maison qui propose elle-même à ses invités de passer à table. Dans un repas intime, tout le monde passe à table en même temps, en suivant les indications de l'hôtesse; les hommes prendront soin d'attendre que la maîtresse de maison et les dames soient assises avant de s'asseoir à leur tour. Pour les repas de cérémonie, il faudra respecter l'étiquette : passeront d'abord à table l'invitée d'honneur, suivie des dames et de l'hôtesse, puis l'invité d'honneur, suivi des hommes et, enfin, de l'hôte qui entre le dernier. Quelquefois on entre par couple : l'invité d'honneur au bras de l'hôtesse, suivis des femmes et des hommes, en couple ou non, puis l'invitée d'honneur au bras de l'hôte.

On se place là où se trouve le carton qui porte son nom. S'il n'y a pas de carton, c'est à l'hôtesse de placer ses invités. Elle aura dans la tête un plan de table qu'elle aura pris soin de préparer avant le repas (pour un plan de table, voir « Ordonnancement et préséance » à la page 58). Les hommes doivent toujours veiller à ce que les dames aient un siège et les aider à s'asseoir surtout si elles sont âgées. On ne s'assied jamais avant la maîtresse de maison. Les hommes s'asseyent toujours après les dames.

Le service de table

Les usages à table

Pour les usages de la table, c'est la maîtresse de maison qui donne le ton. Si on a des doutes quant à certaines règles de l'art de la table, il suffit de suivre l'hôtesse et de faire comme elle. Ainsi, on ne fera pas d'erreur. Ceci est le plus important principe de base.

Pour ce qui est des usages à table, on peut également se référer au chapitre sur « Les couverts » à la page 47, et aux autres chapitres du « Service de table » de la présente section.

Voici quelques principes généraux à observer en toutes circonstances :

— Ne pas mettre ses coudes sur la table, surtout en mangeant.

— Se tenir droit avec les mains posées sur la table.

— Ne pas se servir avant d'y être invité. Utiliser uniquement les couverts de service et prendre les morceaux qui sont devant soi.

— Attendre la maîtresse de maison avant de commencer à manger. Il est de bon ton d'attendre la maîtresse de maison, mais aujourd'hui, les invités peuvent, sur l'invitation de l'hôtesse, commencer à manger dès que plusieurs personnes sont servies, surtout si les mets servis doivent se consommer chaud.

— Il est généralement admis que l'hôtesse demande à une amie, si elle est intime, de l'aider dans le service de table.

— Les invités ne doivent pas, sous prétexte de galanterie, changer l'ordre du service de table décidé par l'hôtesse. Par exemple, dans le service *à l'anglaise* on est prié de se servir soi-même et de faire passer le plat à l'invité placé à sa droite.

— En mangeant, garder les coudes le long du corps.

— Ne pas redemander une deuxième fois du même plat dans les repas de cérémonie, ou encore, si le mets est servi directement dans l'assiette. Dans tous les cas, attendre que l'hôtesse le propose.

— Ne pas écraser les mets en purée dans son assiette, et ne pas saucer son pain (voir « Les aliments pièges »).

— Ne jamais passer son bras devant le voisin, même en s'excusant, pour prendre quelque chose hors de sa portée. Ne pas se lever non plus pour aller le chercher. On demande tout simplement de le faire passer.

— Si on n'aime pas ou si on ne peut pas manger un mets, ne rien dire et ne pas y toucher. On pose les couverts sur l'assiette, comme si l'on avait fini. L'hôtesse comprendra et proposera autre chose. Il en est de même avec le vin: on laisse le verre plein. Ou si l'on préfère, dans ce cas, dire poliment « non merci » mais ne jamais mettre sa main au-dessus du verre.

— Si l'on souffre de graves problèmes de santé, comme le diabète ou un ulcère d'estomac, on s'arrange pour le faire savoir à l'hôtesse bien avant le repas, dès réception de l'invitation, afin qu'elle puisse prendre des dispositions en conséquence.

— Lorsque l'on doit se débarrasser de pépins et de noyaux, les rejeter discrètement dans sa main avant de les déposer dans l'assiette. Pour les arêtes et les petits morceaux d'os, on les prendra entre le pouce et l'index pour les déposer dans l'assiette.

— Manger et boire modérément

— Éviter le plus possible les bruits déplaisants. Si on doit tousser ou éternuer, le faire discrètement en mettant sa main ou son mouchoir devant la bouche et en se tournant légèrement de côté.

— Éviter de parler fort et de rire aux éclats.

— Ne pas monopoliser la conversation et ne pas engager de discussion qui risque de tourner à la dispute. Il appartient aux hôtes de diriger la conversation. Néanmoins, qu'on soit l'hôte ou l'invité, éviter de parler de sujets trop controversés. Rien de plus désagréable pour tout le monde (et pour l'estomac) que de s'engager sur les pentes de la polémique et de la dispute. De plus, on n'a pas le temps d'apprécier ce que l'on mange.

— En toutes circonstances, se montrer aimable et courtois.

— Le tabac est toléré au dessert, avec l'autorisation de la maîtresse de maison. Mais, bien sûr, c'est une mauvaise habitude. En principe, et surtout lors des grands repas, il vaut mieux ne pas fumer à table. D'abord, cela empeste la pièce, puis il n'y a rien de plus inesthétique qu'un cendrier plein de cendre et de mégots écrasés. D'autre part, il se peut qu'il y ait des non-fumeurs à table et vous risquez de les incommoder. Et, plus que tout, le tabac gâche le goût et le parfum des vins et des mets. En outre,si l'on suit l'ordonnancement des mets et des vins qui composent habituellement un menu, on s'aperçoit que, bien souvent, les meilleurs vins sont servis avec le fromage. Et c'est presque toujours à ce moment là qu'un invité allume une cigarette! Avouez que c'est vraiment dommage. Il vaut mieux attendre le café, le thé et les digestifs pour fumer. Autrefois, dans les grandes maisons, il y avait des pièces réservées à cet effet. On les appelait des fumoirs. Aujourd'hui, on passe au salon. Cela est bon pour l'organisme car cela permet de bouger un peu, et puis on évite aussi le mélange des odeurs.

— Éviter de se lever de table avant que l'hôtesse en donne le signal.

— Ne jamais tenir un verre à pied par le corps car cela risque de chauffer le vin, surtout les vins à boire frais comme le champagne ou les vins blancs.

Aliments et aliments pièges

Abricot: se mange à la main.

Ail: ce n'est pas tout le monde qui l'aime. On suggère en général de ne pas en servir. Or, beaucoup de très grandes recettes reçoivent une « pointe » d'ail. Moi-même, j'ai servi des plats légèrement parfumés, au grand délice de mes convives. Alors...

Amuse-gueule (canapés, céleri, olives, noix et arachides salées, etc). On les sert en général avant le repas, avec les apéritifs, et ils se mangent avec les doigts. Quelquefois, on les met sur la table au début du repas.

Artichaut: les artichauts se servent la plupart du temps bouillis. On enlève les feuilles une à une et l'on mange seulement l'extrémité tendre que l'on plonge au préalable dans une vinaigrette. Le coeur se mange avec un couteau et une fourchette. On trempe alors les morceaux à l'aide de la fourchette.

Avocat: se mange soit seul, soit avec une sauce à l'aide d'une petite cuillère, soit en salade. On utilise alors un couteau et une fourchette.

Bananes: on les pèle à la main et on les découpe en rondelles dans l'assiette. Se mangent avec une fourchette.

Beurre: se sert dans un beurrier avec un couteau approprié. Prendre le beurre avec le couteau du beurrier et le poser sur le bord de son assiette. Mettre ensuite le beurre sur son pain avec son propre couteau, par petits morceaux. On ne beurre complètement le pain que pour les huîtres, le caviar ou encore pour les toasts du déjeuner.

Canapés: voir *amuse-gueule*

Caviar: se sert dans un récipient posé sur glace. On se sert à l'aide de la cuillère de service en verre, en bois ou en porcelaine mais jamais en métal. Se mange sur des toasts.

Céleri: voir *amuse-gueule*

Cerises: se mangent avec les doigts. Recracher discrètement les noyaux dans la main avant de les déposer dans l'assiette.

Citrons: sont servis en quartiers et on les presse avec les doigts sans faire gicler le jus.

Consommé: se sert avec une cuillère, mais se boit à même la tasse. S'il n'y a pas d'oreilles, tenir la tasse à deux mains du bout des doigts (voir *soupe*).

Crabe: voir *homard*.

Crèmes: voir *soupe*.

Crevettes: habituellement, on évite de les servir dans les grands repas, si elles ne sont pas décortiquées.

Cuisses de grenouilles: les cuisses de grenouilles ainsi que les petits oiseaux comme les cailles se mangent avec les doigts.

Dessert: voir *entremets.*

Entremets et desserts: se servent avec une fourchette et une cuillère à dessert. En règle générale, on n'utilise que la fourchette, excepté pour les crèmes et les crèmes glacées où l'on se sert de la cuillère.

Escargots: on les sert dans leur coquille ou dans de petits récipients individuels de terre cuite ou de métal, ou encore dans des plats allant au four. Se servir d'une pince à escargots pour tenir le petit récipient ou la coquille et sortir l'escargot à l'aide de la petite fourchette et le mettre dans une cuillère à soupe avec le jus de la coquille. Le déguster. On peut aussi manger directement l'escargot et prendre le jus dans la cuillère ou encore laisser le jus dans le récipient. C'est une affaire de goût. Si on ne possède pas de petits récipients individuels, servir alors les escargots dans des plats spéciaux à four comportant des alvéoles. On les mange à la fourchette sans saucer le jus.

Foie gras: se sert très frais et en entier avec une cuillère de service. On le déguste avec une fourchette. Ne pas le couper au couteau, excepté si ce dernier est en argent.

Fraises: se servent lavées et équeutées avec du sucre à part. On les mange avec une fourchette.

Fromages: voir « Le plateau de fromage » page 84.

Gibier: se sert la plupart du temps prédécoupé et quelquefois reconstitué. Se mange avec un couteau et une fourchette.

Homard, crabe et langouste: se servent avec un couvert à poisson, un casse-noix, un rince-doigts et de larges serviettes. On sort les chairs de la carapace et les pinces sont broyées au casse-noix.

Huîtres: sont servies ouvertes. Détacher la chair à l'aide d'une fourchette. On arrose d'un filet de citron ou de vinaigre aromatisé et on les déguste à la fourchette. Ne pas aspirer à même le bord de la coquille.

Langouste: voir *homard.*

Lapin: comme pour le gibier.

Légumes: se coupent dans l'assiette avec le côté de la fourchette.

Maïs en épis: se mange à la main ou avec de petits pics que l'on enfonce à chaque extrémité de l'épi. On ne beurre pas le maïs en entier mais seulement la partie que l'on s'apprête à manger. Le maïs est à éviter dans les repas de cérémonie.

Melon: servi en demi, il est mangé à la cuillère; en tranche, il est mangé à la fourchette.

Moules: ne se servent pas dans les grands repas. On les garde pour des repas plutôt familiaux. Se servent avec des rince-doigts.

Noix salées: voir *amuse-gueule.*

Oignons: se référer à ce qui est dit pour l'ail.

Oiseaux: voir cuisses de grenouilles.

Olives: voir amuse-gueule.

Oranges: se pèlent, se partagent en quartiers et se mangent à la main. On peut éventuellement inciser la peau avec un couteau, ce qui facilite l'enlèvement de la pelure.

Pain: à la française, il se garde sur la nappe à côté de l'assiette. A l'anglaise, on le pose sur une petite assiette sur le côté gauche du couvert. Dans les deux cas, le pain se mange par petits morceaux que l'on rompt à la main. Il ne faut jamais saucer, même avec une fourchette, le fond de son assiette avec du pain. Quelquefois, on peut pousser les aliments sur la fourchette avec du pain. Mais ce n'est pas recommandé, surtout dans les grands repas.

Pamplemousse: se sert en demi préparé, c'est-à-dire que la chair est séparée de la peau et coupée en dés; servir du sucre à part. Si le pamplemousse n'est pas préparé, introduire la cuillère entre la peau et la chair pour soulever celle-ci. Attention de ne pas éclabousser.

Pêches, pommes, poires: se pèlent avec un couteau et se mangent avec une fourchette.

Poisson: écarter les premières arêtes du pourtour à l'aide du couvert spécial à poisson. Puis, fendre le dos de la tête à la queue. Soulever et détacher les filets.

Radis: se mangent avec les doigts.

Raisins: se mangent avec les doigts, grain par grain. Recracher discrètement les pépins et les peaux dans la main avant de les déposer dans l'assiette.

Salade: en principe, on ne la passe qu'une seule fois à table. Ne pas la couper avec un couteau. Si les morceaux sont trop grands, on peut alors les couper avec une fourchette. On laisse toujours la vinaigrette au fond de l'assiette.

Saumon fumé: se mange à la fourchette. On le sert en tranches fines avec des toasts, du beurre et du citron.

Soupe: le terme de soupe s'emploie uniquement pour des liquides contenant du pain. Par exemple, un consommé avec du pain devient une soupe. C'était autrefois l'aliment ordinaire des moins nantis. On le réservera pour les repas familiaux. On ne servira que des potages, des consommés ou encore des crèmes et des veloutés. Les potages, les crèmes et les veloutés se servent dans des assiettes creuses et on les mange à la cuillère. Pour finir l'assiette, on l'incline légèrement vers l'intérieur de la table. Les consommés se boivent à même la tasse (voir *consommé*)

Spaghetti: s'enroulent autour de la fourchette en partant de quelques brins, au creux d'une cuillère à soupe. On peut aussi les couper en morceaux plus petits et les manger tels quels.

Velouté: voir *soupe.*

Volaille: se présente prédécoupée. On peut exhiber la pièce, en entier, si elle est rôtie, avant de la découper à la cuisine. Se mange avec un couteau et une fourchette. On dit aussi que le pilon de la cuisse et l'aile peuvent se manger avec les doigts à cause de la rigidité des chairs. Je ne le conseille pas ou alors en famille seulement. Un rince-doigts est alors nécessaire.

Le service des mets (ou des plats)

Sauf le beurre et le pain (sur la petite assiette s'il y en a une), il n'y a aucune autre nourriture sur la table. En Amérique du Nord, seule l'entrée pourra être servie dans l'assiette. Joliment composée, elle participe au décor et souhaite la bienvenue à table.

Il y a plusieurs façons de servir les mets, les deux premières étant de les servir directement dans l'assiette, ou encore dans un plat de service.

Mets servis directement dans l'assiette: lorsque l'on sert directement dans l'assiette, on garnit ces dernières dans la cuisine ou sur la table de service dans la salle à manger. Les assiettes sont servies soit une à une, soit deux par deux au maximum. On sert le convive par la gauche et on le dessert par la droite. Seul le vin sera servi par la droite. Lorsqu'on ne sert qu'une assiette à la fois, on peut faire les opérations (desservir, servir) en une seule fois. Ainsi on ne dérangera le convive qu'une seule fois.

Les assiettes sont enlevées avec leurs couverts sans les empiler, ni rassembler les déchets sur une seule assiette avec les couverts sales. On laisse cette pratique à certains petits et moyens restaurants pour des raisons pratiques de service. Mais c'est inélégant. On pourra les placer sur l'étagère du bas de la table de service roulante pour les ramener à la cuisine.

Garnir une assiette: disposer les mets de telle sorte qu'ils offrent un joli coup d'oeil. Placer la viande le plus près du convive parce qu'il faudra probablement la couper. Placer le riz et les pommes de terre sur le haut droit de l'assiette et les légumes verts sur le haut gauche. Éviter d'inonder complètement le fond de l'assiette avec les sauces, excepté s'il y a un intérêt culinaire ou décoratif certain.

On travaille cette disposition comme un tableau. Par exemple, on peut napper le fond de l'assiette avec une sauce tomate onctueuse sur laquelle on dispose une côte de porc, des haricots verts et des demi-pommes vapeur, qui se découperont bien sur le fond. On peut finir avec soit un peu de persil haché sur les pommes vapeur, soit des rondelles de cornichon au vinaigre disposées sur la côte de porc. Voici une belle présentation simple qui ajoutera au plaisir du gastronome.

Mets servis dans un plat: lorsque le mets est servi dans un plat, on le sert par la gauche du convive avec le couvert de service, en faisant le tour de la table. Si l'invité se sert lui-même, on lui présente le plat (toujours par la gauche) avec le couvert de service orienté dans sa direction. Il doit alors saisir la portion qui est devant lui, sans toucher aux autres, en s'aidant du couvert de service. Avec la cuillère il soulève la nourriture qu'il maintient avec la fourchette pour l'amener rapidement dans son assiette.

L'ordre du service exige de commencer par l'invitée d'honneur placée à la droite de l'hôte. On sert ensuite les autres convives dans le sens inverse des aiguilles d'une montre, en terminant par l'hôte.

S'il n'y a pas de personnel de table, c'est la maîtresse de maison qui fait tout le service des plats. Il est admis qu'elle se fasse aider par une amie.

La maîtresse de maison peut aussi faire le service depuis sa place. On lui fera alors passer les assiettes sur les deux côtés de la table, en commençant par l'invitée d'honneur assise à la droite de l'hôte. L'hôtesse se servira avant l'hôte qui, lui, sera servi en dernier.

Si elle le désire aussi, lors d'un repas intime, l'hôtesse peut faire passer les plats. Elle commence par l'invité d'honneur placé à sa droite. Il se sert et fait passer le plat à son voisin de droite et ainsi de suite. La sauce suit la viande puis c'est le tour des légumes. Si on n'aime pas un plat, on le fait simplement passer au convive suivant. L'hôtesse, dans ce cas, se sert en dernier.

NOTE 1: l'hôtesse doit toujours veiller à ce que ses invités ne manquent de rien.

NOTE 2: en plus du service du vin, on suggère que l'hôte se charge du découpage des viandes et de la volaille. S'il préfère, il peut le faire à la cuisine.

Le découpage des mets

On peut présenter la pièce de plusieurs façons:

— On peut la présenter et la ramener en cuisine pour la découper.

— On peut aussi découper la pièce sur place.

— On peut découper la pièce ou le mets en cuisine et le présenter arrangé sur un plat.

— On peut découper et reconstituer la pièce en cuisine avant de l'apporter à table.

Dans tous les cas, la présentation du plat doit être très soignée et belle à regarder. On peut parfaire la décoration, par exemple avec des légumes cuits ou frais disposés de telle sorte qu'ils mettront le mets en valeur.

On se souviendra que les arts de la table font appel aux cinq sens dont la vue. On mange donc avec les yeux autant qu'avec l'estomac.

Découpage de la volaille:

1. Enlever d'abord la cuisse droite et détacher ensuite le pilon.
2. Découper l'aile droite.
3. Coucher la volaille sur le côté dégarni et enlever la cuisse gauche dont on détachera également le pilon. Enlever l'aile gauche.
4. Détacher ensuite les filets ou «blancs» de chaque côté du bréchet.
5. Couper la carcasse en deux.

Quand la bête est petite, la couper simplement en deux sur toute sa longueur. S'ils sont très petits, les oiseaux seront laissés entiers (caille, pigeon, etc).

Découpage du rôti : avant de découper un rôti, le laisser reposer environ dix minutes après sa sortie du four, pour stabiliser le sang à l'intérieur de la pièce.

Le rôti se découpe en tranches fines de six à dix millimètres d'épaisseur. Maintenir le rôti à l'aide de la fourche ou de la fourchette de service et découper la viande avec le couteau à trancher de service.

Découpage des poissons : le présenter d'abord entier puis le découper à table ou sur une desserte si on a du personnel. Si le poisson est suffisamment petit, comme la sole par exemple, le servir directement dans l'assiette du convive qui le découpera lui-même. Dans les grands repas, c'est toujours le personnel qui le fait.

1. Enlever les premières arêtes du pourtour à l'aide de la cuillère et de la fourchette de service. Enlever la peau s'il y a lieu.
2. Fendre les chairs sur le dos, de la tête à la queue, avec la cuillère.
3. Décoller les chairs à l'aide de la fourchette et, avec la cuillère, enlever alors les filets que l'on maintient avec la fourchette pour les déposer dans l'assiette. Si les filets sont trop gros, enlever par morceaux sans déchiqueter les chairs.
4. Enlever l'arête centrale et procéder de même avec les autres filets.

Le service du vin

Déboucher une bouteille : excepté pour les champagnes et les vins mousseux ou pétillants, déboucher les bouteilles de une à deux heures avant le repas pour laisser « respirer » le vin.

Pour ouvrir la bouteille, découper la capsule qui protège le bouchon à l'aide d'un petit couteau de service, puis enfoncer franchement le tire-bouchon assez loin mais en évitant de percer le bouchon, ce qui risquerait de faire tomber des morceaux de liège dans le vin et de lui donner un goût de bouchon très désagréable. Le « goût de bouchon » est d'ailleurs le plus grand défaut d'un vin, comme celui d'être « piqué » (aigre et acide, légèrement pétillant) qui vient ensuite. L'un de ces défauts justifie à lui seul le retour de la bouteille en cuisine.

Déboucher la bouteille doucement pour ne pas la choquer. Ne jamais secouer ou agiter une bouteille de vin. On risquerait de la

« mettre à genoux », c'est-à-dire de diminuer ou de lui faire perdre ses qualités, surtout s'il s'agit d'un grand cru âgé.

Servir les convives: à moins d'avoir un sommelier, un maître d'hôtel ou du personnel de table masculin, c'est le maître de maison qui fait ou dirige le service du vin. Une femme ne doit jamais servir le vin.

Avant de servir les convives, il convient de tester le vin en dégustant la première gorgée. C'est le maître de maison qui le fera. Car si le vin n'est pas à la hauteur de ce qu'on est en droit d'attendre, ou tout simplement s'il est mauvais, il sera plus facile à l'hôte de décider s'il faut ou non retourner la bouteille. Décision difficile lorsqu'on est invité. Mais lors d'un repas intime, on aime de plus en plus faire honneur à un invité en lui donnant la première gorgée, le tenant capable de donner un avis averti.

Après la dégustation et l'appréciation, les autres convives sont servis en commençant par l'invitée d'honneur placée à la droite de l'hôte. Ensuite, on sert en tournant dans le sens inverse des aiguilles d'une montre. L'hôte se sert ou est servi le dernier.

S'il n'y a pas de personnel et que l'hôte désire rester assis, il servira les dames qui sont près de lui, puis passera la bouteille à l'homme le plus proche placé sur sa gauche, qui fera de même et ainsi de suite. Pour une très grande table, il vaut mieux avoir deux bouteilles de vin qui seront placées près des extrémités de la table.

Les verres ne seront jamais remplis complètement mais à moitié seulement. Cela permet de pouvoir déguster le vin comme il le faut, notamment lorsqu'on veut en faire dégager le parfum en faisant tourner le liquide dans le verre.

Tenir compte qu'une bouteille de 75 cL (contenance habituelle) contient la valeur de six verres.

Les verres se remplissent par la droite des convives.

Dégustation: pour déguster un vin, regarder d'abord sa robe, c'est-à-dire sa couleur par transparence avec une source lumineuse. S'il y a des bougies à table, elles constitueront une excellente lumière.

Ensuite, faire tourner le vin, d'un mouvement circulaire du verre, afin d'en dégager le parfum. Ceci est difficile à faire si le verre est trop plein. On en profite également pour regarder l'aspect des traînées que laisse parfois le vin et qui redescendent sur les parois du verre. S'il laisse des traînées franches, on dit qu'il a de la jambe. Il s'agit alors d'un vin « gras ». Puis, le respirer afin de profiter de son parfum. Maintenant, le déguster en prenant une petite gorgée que l'on « roule » avec sa langue dans la bouche en aspirant légèrement de l'air. On en appréciera alors le goût. L'ensemble de ces gestes permet d'apprécier convenablement un vin en profitant au maximum de toutes les qualités qui en font la personnalité.

Boire en mangeant: lorsqu'on déguste un vin avec un mets, il ne faut jamais prendre de grandes « lampées », ni vider son verre d'un seul coup. D'abord, on se noiera l'estomac en diluant les sucs gastriques et la digestion sera plus difficile; ensuite, l'alcool n'aura pas le temps d'être assimilé par l'organisme et on s'enivrera rapidement, ce qui sera dommage pour la suite du repas. Pour ne pas s'enivrer, il faut boire très lentement. On risque également de provoquer une intoxication du sang qui se traduira par une « gueule de bois » ou un état de fatigue générale pendant les jours qui suivent. Enfin, on perdra beaucoup au niveau du goût, car on n'aura pas le temps d'apprécier. C'est un peu comme les gens qui mangent trop vite.

Personnellement, je trouve que lorsqu'on sert un bon vin et un mets délicat, on devrait prendre le temps de les déguster. On devrait même s'arrêter de parler afin de mieux apprécier. Il est souvent très dommage d'engager des discussions tellement absorbantes qu'elles font oublier la qualité d'un bon vin et la subtilité d'un mets recherché qui a quelquefois demandé une longue préparation et beaucoup d'efforts à la maîtresse de maison.

Les vins rouges: les grands vins rouges se servent à la température de la pièce, qui ne doit en aucun cas dépasser 20° C. Pour les vins rouges jeunes ou de qualité plus ordinaire, il vaut mieux les servir à une température plus fraîche (16 à 17° C). Plus un vin est ordinaire, plus la température de service peut être fraîche. Le froid cache les défauts du vin. Mais il ne faut pas perdre de vue que s'il cache les défauts, il enlève également les qualités. Il faut donc savoir le servir à sa température idéale. On les débouche environ deux heures avant le repas.

Lorsqu'il s'agit de très grands vins rouges qui doivent être manipulés avec précaution, les servir dans des paniers spéciaux qui maintiennent les bouteilles légèrement couchées.

Ceci est important lorsqu'il y a des risques de dépôts dus au grand âge du vin. Dans ce dernier cas, les décanter, c'est-à-dire verser doucement le vin dans une carafe en faisant attention de ne pas transvider les dépôts qui doivent rester dans la bouteille d'origine.

Il vaut mieux le faire en mirant le transfert à la lueur d'une bougie ou d'une source lumineuse.

Les vins blancs: les champagnes, les vins blancs, les blancs de blancs, les vins mousseux et pétillants, se servent très frais (6 à 8 °C), dans un seau à glace contenant moitié eau et moitié glace. Les mettre dans le seau au moins une heure avant de servir. Les très grands crus blancs peuvent se servir à des températures moins froides, avoisinant 10 à 12 °C.

Le réfrigérateur et le congélateur sont à proscrire absolument car ils tuent le vin. Un bon vin blanc bien frappé développera mieux son bouquet.

NOTE 1: dans tous les cas et surtout s'il s'agit d'un grand cru, amener le vin à la température désirée *le plus lentement possible*, soit qu'il s'agisse d'amener un rouge qui sort d'une cave fraîche (la température d'une cave doit être d'environ 11 °C) à la température ambiante d'une salle à manger, soit de glacer un blanc.

NOTE 2: certains vins de beaujolais peuvent se servir en seau mi-eau, mi-glace, environ vingt minutes avant de les servir.

NOTE 3: s'il s'agit d'une bouteille très ancienne, couverte de poussière, d'une bouteille de blanc ou encore de champagne qui trempe dans de l'eau glacée, utiliser une serviette blanche de service pour éviter de se salir les mains ou de laisser l'eau goutter sur la table en servant.

Le plateau de fromage

Autrefois, les fromages faisaient partie des desserts. Ils n'étaient donc pas souvent mentionnés comme un plat à part. Ceci explique pourquoi, aujourd'hui, quelques « puristes » omettent de les servir dans les grands repas. Néanmoins, cités ou non, il était d'usage d'en proposer à la fin des repas avant les entremets sucrés. Et cela se fait encore de nos jours.

Un beau plateau de fromage est tout à la fois une satisfaction pour les yeux et un délice pour les gourmets. Sur un plateau (en bois dur si possible), présenter un assortiment d'au moins trois fromages avec deux couteaux, l'un pour les fromages à saveur forte et l'autre pour les fromages à saveur douce. Les disposer en cercle selon leur saveur en allant du plus fort au plus doux. Ne pas les mélanger.

En même temps que le plateau de fromage, servir du pain, du beurre, de la moutarde forte (pour les fromages comme le gruyère et le hollande) et du carvi (pour les fromages forts comme le livaro et le munster. A noter que le cumin va très bien avec le munster.

Avec le fromage, on peut également servir des fruits, comme le raisin et les pommes, ou des fruits secs et des noix. Sauf pour les fromages fondus offerts en portions triangulaires, le boursin aux fines herbes et certaines présentations décoratives comme les feuilles de vigne ou de maronnier liées avec du raphia, ne jamais présenter les fromages avec leurs papiers, cartons ou boîtes d'emballage.

NOTE : les fromages ne se servent pas uniquement à la fin des repas, avant le dessert. On peut en déguster à toute heure de la journée : le matin au déjeuner, en apéritif servis coupés en cubes ou sur canapés, ou encore pour accompagner une bonne bouteille de vin que l'on boira simplement entre amis en devisant gaiement.

Découpage des fromages : pour chaque fromage, il y a une coupe qui est fonction de sa forme et de sa conservation ultérieure.

- Les fromages pyramidaux ou coniques, les fromages ronds ou carrés à pâte molle se découpent comme un gâteau.
- Les petits fromages de chèvre se coupent en deux.
- Les bries et grands camemberts se coupent en pointe.
- Les fromages en forme de cylindre court ou de disque, comme le fourme, se coupent en lamelles fines.
- Les morceaux de tomme, le cheddar, les portions de bleu ou pâte persillée, se découpent en biseau ou en lames parallèles suivant la forme du morceau présenté.
- Les formes cylindriques ou rectangulaires se coupent en rondelles ou en tranches.

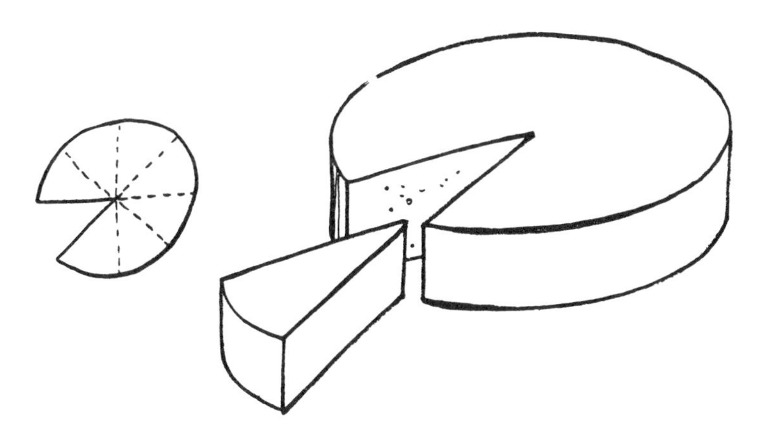

Les fromages ronds.

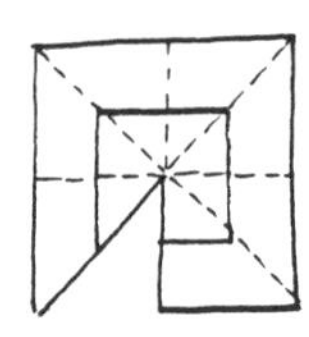
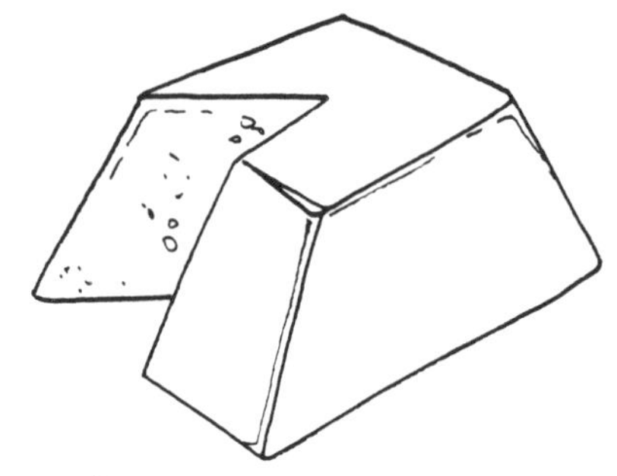

Les fromages pyramidaux ou coniques.

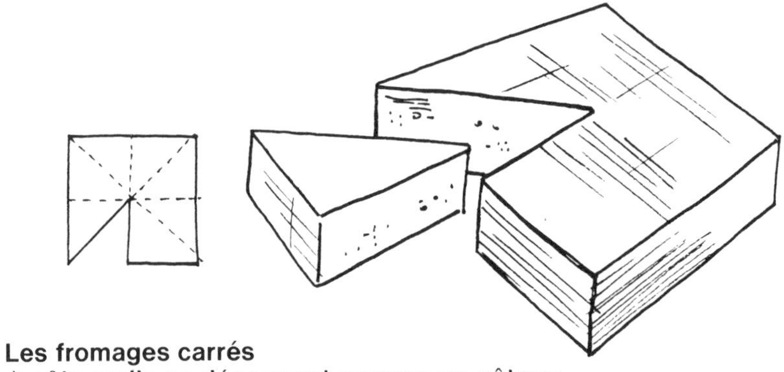

Les fromages carrés
à pâte molle se découpent comme un gâteau.

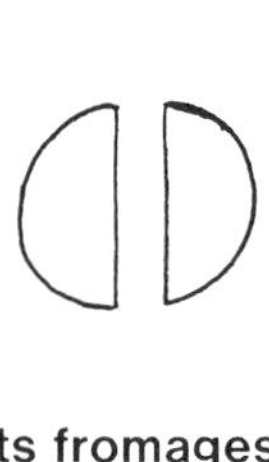
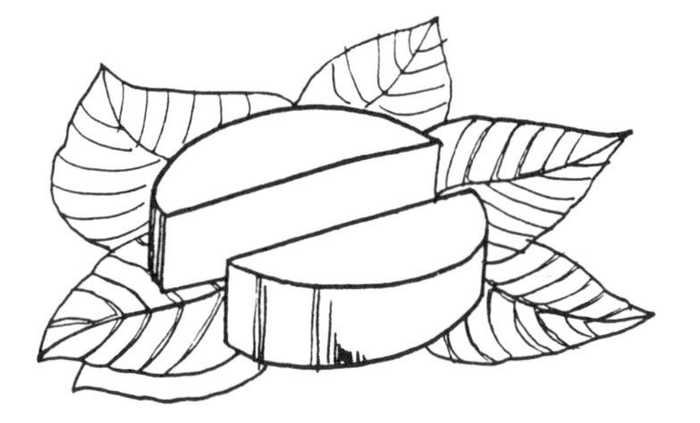

Les petits fromages
de chèvre
se coupent en deux.

Les bries et grands camemberts
se coupent en pointes.

Les fromages en forme de cylindre court ou de disque, comme le fourme, se coupent en lamelles fines.

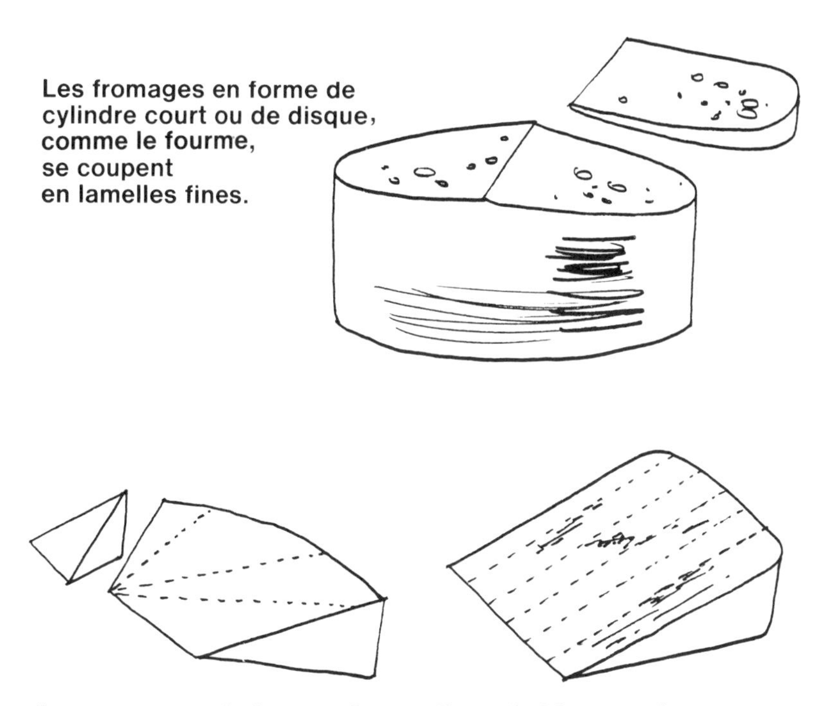

Les morceaux de tomme, les portions de bleu ou pâte persillée et le cheddar se coupent en lames parallèles ou en biseau suivant la coupe initiale du morceau.

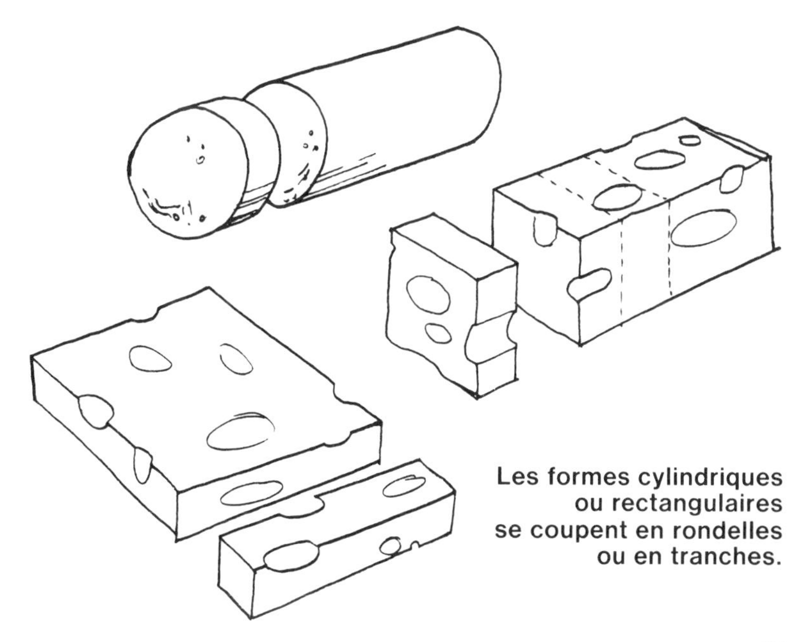

Les formes cylindriques ou rectangulaires se coupent en rondelles ou en tranches.

Les desserts

Voici quatre mille ans, la pâtisserie était un art royal à Babylone. On a découvert des recettes à base de miel et de dattes qui démontraient que la pâtisserie était déjà un art majeur.

Mais c'est le roi de France Charlemagne qui, le premier, proposa de terminer le repas par des desserts composés de fruits et de pâtisseries.

Sous Louis XIV, cet art atteint son apogée avec des desserts monumentaux. Le roi ne manquait d'ailleurs pas de s'en faire servir au moins quatre ou cinq variétés à chaque repas.

Le dessert est le dernier service d'un repas. Autrefois, il comportait les fromages. Aujourd'hui, on a tendance à finir le repas avec des entremets sucrés et des fruits servis après le fromage et séparément de ce dernier. Ils sont l'apothéose et la suite logique d'un repas (le sucre facilite la digestion).

Avant de servir le dessert, débarrasser complètement la table à l'exception du verre à eau et du couvert à dessert s'il était déjà sur la table. A l'aide d'une serviette de service ou d'un petit balai de table, nettoyer toutes les miettes de pain et autres détritus. Le mot dessert vient du fait que ce service arrive à la fin du repas, au moment où l'on dessert la table.

Au dessert, servir les fruits et les gâteaux dans de petites assiettes et les crèmes, crèmes glacées et sorbets dans des coupes ou dans de petits ramequins.

Si, autrefois, de grandes pièces de pâtisseries très décorées constituaient de véritables petits monuments qui envahissaient la table en un ordonnancement bien établi, à présent, les desserts sont moins ostentatoires. Ils restent malgré tout un ravissement pour les yeux et le palais. De nouveaux accessoires et l'emploi, plus fréquent que jadis, des fleurs pour la décoration, font que ce service reste toujours magnifique et succulent. C'est le couronnement du festin.

On passe au salon

Café, tisanes et alcools digestifs

Le café, les tisanes, le thé et les alcools digestifs se prennent mieux au salon.

A la fin du repas, c'est la maîtresse de maison qui donne le signal pour se lever de table. Elle s'assure que ses invités ont tous fini de manger puis se lève en posant sa serviette sans la plier, à gauche de son couvert. Les autres invités en font autant et la suivent au salon où seront servis les alcools digestifs, le café ou le thé et les tisanes. On pourra alors fumer la cigarette ou le cigare, mais pas la pipe dont l'odeur est trop persistante. Pour le cigare, on demandera à son entourage si l'odeur, souvent forte, ne les gêne pas.

NOTE: l'hôtesse fera le service du café, du thé et des tisanes. L'hôte, celui des alcools.

Le café: avant le repas, on aura soin de préparer le plateau, les tasses, les soucoupes, les cuillères, le sucre et le café qui sera utilisé.

Au moment de servir, on ajoute un pot d'eau chaude, une cafetière ainsi qu'un petit pot de lait. L'hôtesse sert elle-même ses invités tour à tour, en leur tendant d'une main la tasse remplie aux trois quarts sur la soucoupe (sous-tasse) contenant la cuillère et, de l'autre main, le sucrier. On peut aussi laisser les invités se servir eux-mêmes du sucre posé sur le plateau ou sur une table à proximité. Les tasses peuvent être remplies à la cuisine. L'hôtesse sert alors le lait et le sucre au salon.

Le café se sert chaud et non pas brûlant. On saisit la soucoupe de la main gauche et on avale le café en prenant la tasse par l'anse, de la main droite. On repose ensuite la tasse sur la soucoupe avant de reposer le tout sur le plateau.

Comment faire un bon café: il y a plusieurs façons de faire le café et il existe d'innombrables variétés de cafés, que l'on peut mélanger en proportions diverses, dont le goût varie avec le degré de torréfaction. Alors comment faire un bon café? On peut d'abord, par essais successifs, rechercher le mélange qui correspond le mieux à notre goût. Lorsqu'on a fait son choix, on dispose alors de plusieurs méthodes. Personnellement, les ayant à peu près toutes essayées, je préfère celle qui consiste à verser l'eau frémissante sur le café moulu retenu dans un filtre. Le principe de base est de transférer le parfum du café dans l'eau chaude. Pour cette raison, il vaut mieux moudre le café juste avant de le faire, afin qu'il conserve la totalité de ses arômes le plus longtemps possible. On verse donc l'eau frémissante (pas bouillante) sur le café en tournant. On s'y reprend à plusieurs fois, ce qui permet aux grains moulus de se gonfler et ainsi de mieux libérer leurs arômes. Le servir immédiatement.

Le thé: si des invités en manifestent le désir, on peut servir du thé après le repas, au même titre que le café. Selon le goût, on pourra éventuellement l'allonger avec un alcool, par exemple le brandy. Le thé se boit de la même façon que le café. Pour la préparation, voir « Type de réception » dans « Préparatifs ».

Les tisanes: les tisanes, comme la verveine ou la menthe, ont des propriétés digestives appréciables. Il en existe une grande variété, de quoi satisfaire tous les goûts. Elles se consomment comme le café ou le thé. Par contre, on les sert brûlantes, avec du sucre, du miel, du citron ou du lait, plus une passoire à part.

On prépare les tisanes de deux façons:

Infusion: on fait bouillir l'eau, puis on la retire du feu et on y jette les herbes. On couvre et on laisse infuser dix minutes.

Décoction: on fait bouillir ensemble l'eau et les herbes pendant dix minutes à couvert. On utilise cette méthode pour les racines, les écorces ou les éléments durs, par exemple pour les feuilles d'eucalyptus.

Les alcools digestifs: ici aussi le choix est grand. Il y a des alcools forts (cognac, vieux marc, kirsch) et des alcools doux (Marie-Brizard, Grand Marnier). En fait, les alcools doux sont souvent des eaux de vie auxquelles on a ajouté un sirop de sucre.

Il existe également des alcools à base de plantes digestives. Bien souvent, ces boissons étaient préparées par des moines dans un but curatif pour l'estomac. C'est le cas de la bénédictine et de la chartreuse.

On sert les alcools soit dans des verres ballons à ouverture étroite, soit dans des petits verres d'environ une once (30 mL).

Le départ des invités

Pour un repas à table, sauf si l'on a des obligations, on ne s'en va pas tout de suite après le dessert. En général, on reste au moins une heure ou deux après le repas pour faire la conversation en prenant du café, des tisanes et des alcools digestifs. Une règle impérative: ne jamais rester au-delà des limites convenables de façon à ne pas empiéter sur le repas suivant s'il y en a un (l'après-midi par exemple), et obliger ainsi ses hôtes à nous réinviter, ou encore de façon à ne pas faire veiller ses hôtes tard après le souper si c'est le soir.

En revanche, si l'on doit abréger sa visite, en informer l'hôtesse avant la réception et s'arranger pour partir discrètement afin de ne pas donner le signal du départ. On n'omettra pas de saluer ses hôtes.

Quand il s'agit de cocktails, buffets et autres réceptions de ce type, il ne faut pas non plus rester après l'heure prévue pour le départ (en général mentionnée sur l'invitation). Et si l'on est pressé et que l'on fait une visite de courtoisie, il faut rester au moins trente minutes.

NOTE: quel que soit le type de réception, les hôtes ne doivent jamais insister pour retenir un invité qui doit s'en aller.

Les remerciements des invités

Au moment de prendre congé, les invités se doivent de remercier leurs hôtes, en faisant un petit compliment à la maîtresse de maison. Elle s'est donné beaucoup de mal et un mot gentil de votre part la touchera certainement.

Mais une coutume qui tend de plus en plus à s'imposer consiste à téléphoner à ses hôtes dès le lendemain de la réception pour les remercier de nouveau, ou encore leur envoyer un petit mot gentil de remerciement. Parfois, si on désire vraiment marquer l'événement, on peut envoyer quelques fleurs de saison accompagnées d'un mot aimable. Mais ce n'est absolument pas obligatoire. En général on téléphone, même si ce sont des amis intimes.

Réceptions particulières

Repas d'affaires

En principe, un repas d'affaires se prend au restaurant sans le conjoint car on n'y parle uniquement « affaires », chose difficile à imposer à une personne qui n'est pas directement concernée.

Cependant, on peut inviter son collaborateur, son confrère ou son patron à la maison avec les conjoints. Dans ce cas, on ne parle affaires qu'en sortant de table. On traite ses invités comme s'il s'agissait d'amis, avec la même simplicité et bonne humeur.

Réceptions amicales

Les repas amicaux

C'est le repas type pour la détente. Mais, comme pour les repas familiaux, ce n'est pas une raison pour ne pas respecter les règles de la bienséance et de la table.

Plus libre, le style de la table sera celui que vous voudrez. Toujours harmonieux et de bon goût, il doit ajouter au plaisir d'être ensemble. Le repas d'amis, c'est aussi l'occasion de servir un plat unique suivi éventuellement d'un dessert. On y servira par exemple une fondue, une paëlla, une choucroute, un cassoulet, etc.

Si vous êtes l'invité, vous pouvez apporter une bouteille de vin, un dessert, des fleurs, un petit cadeau, etc., surtout si vous êtes très intime. En ce qui concerne le vin, si la bouteille que vous apportez ne s'accorde pas avec le repas servi, ne vous offusquez pas de ne pas la voir à table. La maîtresse de maison doit servir ce qui était prévu dans son arrangement initial. Votre bouteille attendra une autre occasion.

NOTE: Un repas d'amis n'est pas une soirée télévision. Cette dernière devra rester muette, même s'il y a ce soir-là le meilleur des films. Seule une musique de fond appropriée et pas trop forte est acceptée.

Les surprises-parties

Il est courant aujourd'hui que les jeunes, dès l'âge de quatorze ou quinze ans, aillent à des surprises-parties ou donnent des soirées dansantes. Ces genres de réceptions sont les mêmes que les cocktails dansants, sauf que les boissons alcooliques sont remplacées par des jus de fruits et autres boissons sans alcool. On pousse les meubles pour faire un peu de place, on enlève les objets de valeur ou trop fragiles et on installe un tourne-disque.

En ce qui vous concerne, la meilleure attitude à adopter est de ne pas vous « enfuir » de la maison, car vous êtes responsable de ce qui se passe sous votre toit. Au contraire, vous devez aider vos enfants à recevoir leurs amis, puis vous retirer discrètement dans une autre pièce, quitte à revenir de temps à autre pour voir si tout va bien et réapprovisionner le buffet si besoin est. En plus de répondre aux règles de la bienséance, cette façon de se comporter prévient tout écart de conduite de la part des jeunes.

Les goûters d'enfants

Si c'est une occasion pour les enfants d'apprendre à se tenir en société, c'est aussi un événement où ils s'amusent beaucoup.

Lors d'un anniversaire, d'une fête ou d'un mardi-gras, où ils pourront se déguiser, ou encore de tout autre prétexte à faire la fête, vos enfants apprennent à recevoir leurs amis et à s'occuper d'eux. Vous devez être là pour les aider et les guider.

Comme il s'agit en général de jeunes enfants, ce sont aux mamans qu'il faut faire les invitations. Elles accompagnent leurs enfants, mais ne restent pas, en principe. Prévoir quand même du thé, du café et des biscuits à leur intention.

Repas en famille

Les repas en famille doivent avant tout être détendus. C'est l'occasion de resserrer les liens d'affection entre les membres d'une même famille.

Mais si, comme pour les repas entre amis, l'ambiance généra-

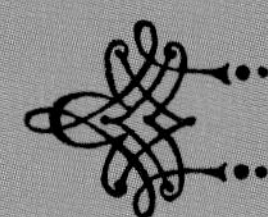

Découpage de la volaille

Découper la cuisse jointe au pilon.

Séparer la cuisse du pilon en passant la lame entre les articulations.

Enlever l'aile au complet.

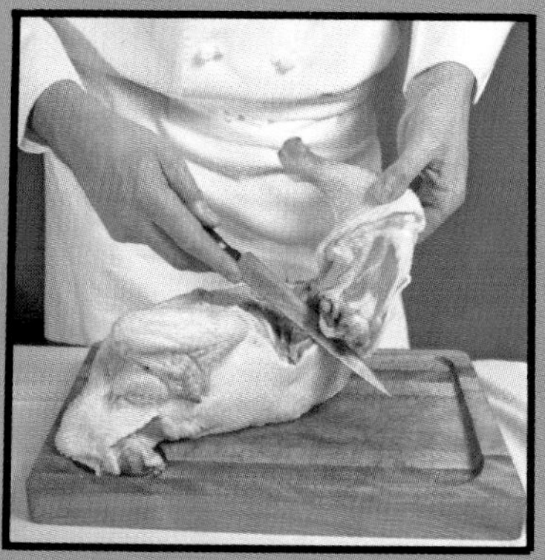

Procéder de la même façon pour l'autre côté.

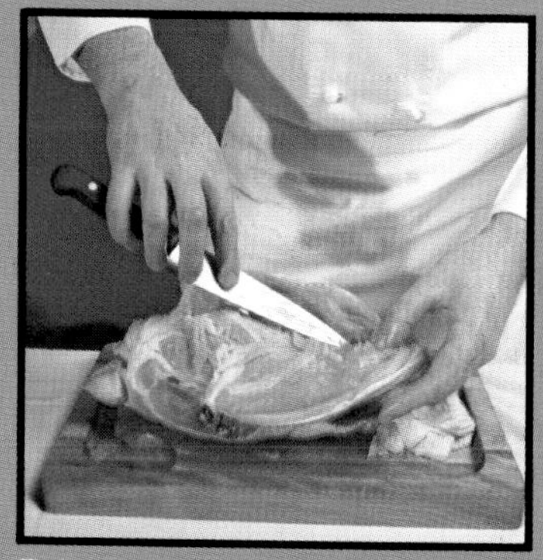

Enlever les filets ou « blancs » de chaque côté du bréchet.

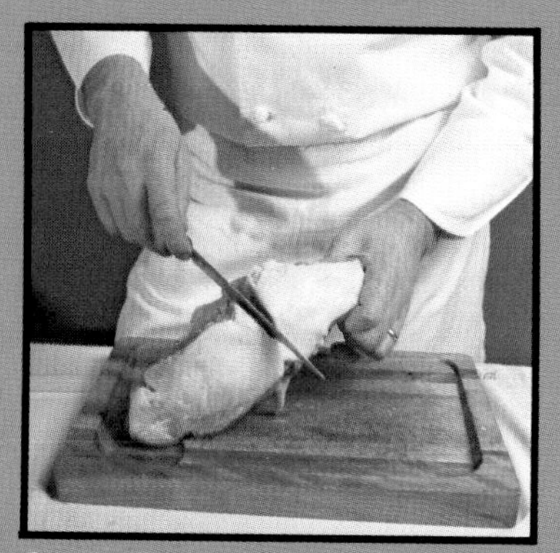

Couper la carcasse en deux en passant par la jointure.

Découpage de la volaille

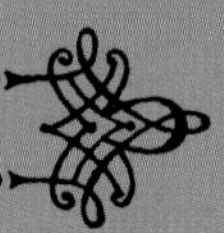

La volaille après le découpage.

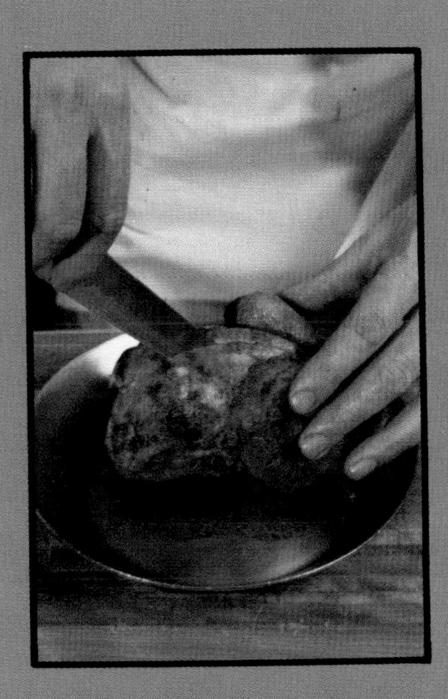

Lorsque la volaille est petite, on la coupe simplement en deux sur toute la longueur.

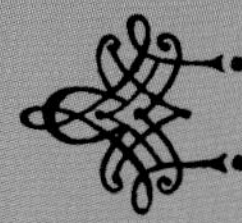

Découpage du poisson

On enlève les premières arêtes du pourtour à l'aide de la cuillère et de la fourchette de service.

On fend les chairs sur le dos, de la tête à la queue, avec la cuillère.

On décolle les chairs à l'aide de la fourchette et, avec la cuillère, on soulève alors les filets que l'on maintient avec la

fourchette pour les déposer dans l'assiette. Puis, on enlève l'arête centrale.

On procède ensuite de la même façon pour les autres filets.

La sole est servie dans l'assiette.

Buffet

Pour faire d'une table de buffet une réussite.
Des plats appétissants disposés comme un tableau.

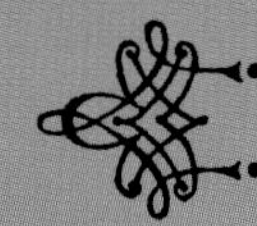

Verre universel

On peut y goûter tous les vins et spiritueux.

Un moment de détente pour apprécier vin et pâté.

Thé-goûter au jardin

Délices sucrées et parfumées, légères comme un nuage de crème.

On passe au salon

...pour déguster thé ou café.

Apéritifs et digestifs

Prendre l'apéritif dans une ambiance feutrée, rien de tel pour mettre en appétit.

Pour clore un bon festin, que dire d'un alcool digestif.

le est plus décontractée, cela ne veut pas dire qu'il faille manquer aux convenances et aux bonnes manières. On s'y comportera avec civilité, même si l'on est en désaccord sérieux avec un membre de la famille. On sera respectueux envers les aînés et on évitera d'être sentencieux avec les plus jeunes.

Fêtes traditionnelles

Épiphanie: tirer les rois (6 janvier)

Les Romains avaient l'habitude de voter avec des fèves. En outre, ils introduisirent même cette pratique dans les saturnales, où celui qui tirait la fève, lors du banquet, devenait le roi du festin. On pense que cette pratique s'est transmise dans les moeurs chrétiennes et qu'elle est à l'origine de l'Épiphanie, le 6 janvier, date de l'arrivée des trois rois mages à Bethléem.

Même si cette fête est devenue un goûter d'enfants, il est très agréable de la célébrer en famille avec quelques amis, surtout s'ils ont des enfants. On peut servir la brioche ou galette traditionnelle (dans laquelle est cachée la fève) avec du champagne ou un vin mousseux, ou encore avec du café, du chocolat et du thé. On peut toujours y ajouter quelques pâtisseries.

Si on le désire, on peut aussi servir la pâtisserie contenant la ou les fèves, à la place du dessert, à la fin d'un dîner conventionnel.

Chandeleur (2 février)

A l'époque romaine, c'est à cette date que l'on fêtait les «lupercales». Toutefois, en 472, le pape Gélase les remplaça par les fêtes de la Chandeleur. La Chandeleur devint alors la célébration de la purification de la Vierge. A cette occasion, on allumait le cierge (chandelle... chandeleur) virginal en souvenir de la présentation de Jésus au Temple de Jérusalem. Cette fête étant située dans une période de transition entre l'hiver rigoureux et les promesses du printemps, on la marqua par un repas de crêpes et de beignets à base de farine (le froment ancien appelle le froment nouveau).

Il est d'usage de faire sauter les crêpes dans une poêle en tenant une pièce de monnaie dans la main, mais il ne s'agit là que d'une superstition. Néanmoins, la maîtresse de maison peut préparer une quantité de crêpes cuites et réservées au chaud, et laisser les invités faire sauter quelques crêpes si le coeur leur en dit.

Si le rituel religieux a été quelque peu oublié, il reste quand même que c'est une fête familiale ou amicale, originale et très gaie.

On sert les crêpes et les beignets avec du sucre, des confitures et du miel, le tout accompagné de cidre sec, de café ou de thé.

On peut aussi faire tout un repas avec des crêpes que l'on garnit avec des préparations en sauces à base de volaille, de champignons, d'oeufs, etc., et sucrées pour le dessert. Un vin blanc sec bien frais convient parfaitement. Ceci n'est peut-être pas conventionnel, mais combien original et amusant.

Bien entendu, on n'oubliera pas d'allumer quelques chandelles.

Saint-Valentin: fête des amoureux (14 février)

C'est la fête des amoureux. Jadis, le 14 février, les jeunes filles (valentines) choisissaient un cavalier (valentin) parmi les prétendants. A cette occasion, ces derniers devaient leur offrir des présents.

Cette fête est un prétexte charmant pour les amoureux de tous âges, mariés ou non, de se retrouver en tête-à-tête pour un dîner aux chandelles et de se faire encore un petit cadeau affectueux.

Mardi-gras (dernier jour avant le carême)

C'est le dernier jour du carnaval, au moment où il est à son apogée. C'est aussi le dernier jour avant le carême qui précède la Pâques. On y mange donc le dernier repas gras pour faire des réserves. Le menu peut se composer de bouillon de pâtes, de boeuf gras, de pieds de cochon, de crêpes et de beignets.

C'est aussi l'occasion de se recevoir entre amis et de se déguiser.

Pâques (mars ou avril)

Le Vendredi saint, on ramassait les oeufs pour Pâques. Ils avaient alors, disait-on, des vertus. L'oeuf, symbole de la vie et de la résurrection, marquait aussi le retour aux libertés alimentaires après le jeûne. Cette pratique religieuse du Carême était, en fait, bénéfique pour la santé. En effet, par une sorte de demi-diète, on éliminait les graisses et les toxines emmagasinées dans le corps pendant l'hiver, le préparant ainsi pour le printemps.

Après le Carême, on fête la Pâques avec un repas plutôt rituellique. On mange des oeufs, bien sûr, et beaucoup d'oeufs durs aussi, que l'on peut décorer avec des teintures alimentaires si possible naturelles. On n'oubliera pas l'agneau pascal, symbole de simplicité, de douceur, de pureté et d'obéissance. Il fut l'image du Christ.

Si l'on désire un dessert, on peut déguster des brioches (avec du porto ou du xérès), du pain trempé dans des oeufs battus dans du lait sucré et rôti dans du beurre, des oeufs en chocolat, etc. *Attention:* pas de vin avec les oeufs et le chocolat.

C'est un repas de fête que l'on prend en famille ou avec quelques amis.

NOTE: aujourd'hui, on ne fait plus beaucoup de repas spéciaux pour Pâques. Pourtant, il existe toutes sortes de traditions différentes, suivant les pays, reliées à une mystique religieuse (comme Noël), que nous avons tendance à oublier. Elles sont le reflet de notre civilisation et correspondent à des besoins vitaux physiques et psychiques. Mais sans aller jusque-là, pourquoi ne pas en saisir simplement le prétexte de faire une belle fête?

Saint-Jean-Baptiste (24 juin)

Fête populaire depuis fort longtemps, elle symbolise, par les feux qu'on y allume, la purification et la régénérescence (baptême du feu). C'est aussi un symbole spirituel de mort et de renaissance.

Le brasier est également une occasion de rassemblement, de rondes joyeuses en se tenant par la main; c'est une forme de communion fraternelle où circulent les énergies régénératrices.

Au Québec, la Saint-Jean-Baptiste est devenue la fête nationale. Les Québécois aiment à fêter, c'est bien connu. Dès le début de la colonie, afin d'aider les colons à passer les hivers rigoureux, Champlain fonda l'Ordre du Bon temps. Les gens fêtaient à propos de tout et de rien. Aujourd'hui encore, les Québécois font honneur à leur réputation de bons vivants.

Il n'y a pas de repas traditionnel pour cette fête, mais c'est néanmoins l'occasion de faire grandes ripailles et de s'amuser follement en partageant sa joie avec tous.

NOTE: le blé, également symbole de renaissance, pourrait être consommé à cette occasion sous forme de galette de froment.

L'Halloween (31 octobre) et la Toussaint (2 novembre)

L'halloween est une cérémonie d'origine celtique ayant pour but de rendre propice le dieu de la mort.

Halloween se décompose en trois mots: all: tout, hallows: esprits, et eve: veillée importante. Ce serait donc la veillée de tous les esprits. En fait, suivant la croyance populaire, l'équinoxe d'automne correspondait également à la libération de tous les esprits. Pour les éloigner, les Celtes faisaient de grands feux. Au Moyen Age, on gardait de petits feux. Actuellement, on ne garde qu'une bougie allumée dans une citrouille découpée en forme de visage grimaçant que l'on place à l'entrée des demeures pour les protéger des esprits. Et si, d'aventure, un esprit plus téméraire voulait s'en prendre à un foyer, on pensait qu'il confondrait la citrouille avec les occupants de la maison et prendrait l'esprit de la citrouille à la place du leur. Les Irlandais et les Écossais se déguisaient afin de se confondre avec les esprits qui, ainsi, les laissaient tranquilles les prenant pour les leurs. De là à jouer aux esprits moqueurs il n'y avait qu'un pas qui fut vite franchi. Les faux esprits allaient de maison en maison pour demander des offrandes en échange de leur clémence et de la tranquillité des occupants. C'était devenu l'occasion de jouer des tours pendables. En Amérique du Nord, on est même allé jusqu'à faire grimper un cheval attelé à sa charrette sur le toit d'une grange. Certains de ces tours étaient dangereux et il y eut de nombreux accidents. Aussi furent-ils interdits et l'halloween reste seulement une fête pour les enfants, qui se déguisent en esprit et auxquels on offre des pommes et des bonbons.

Au IXe siècle, l'Église catholique a voulu christianiser cette fête païenne en créant la fête de tous les saints (la Toussaint) le 2 novembre. Plus tard, les protestants gardèrent l'halloween et les catholiques, la Toussaint.

Pour l'halloween, il n'y a pas de repas rituellique. A la Toussaint, on mange quelquefois des crêpes et des beignets de pommes. Mais, tout étant prétexte à faire la fête, nous proposons ici un repas d'amis que l'on prendra en attendant les enfants (qui, déguisés, feront leur tournée des maisons voisines avec un adulte). On pourra, par exemple, servir de la soupe à la citrouille, des tartes et des beignets aux pommes. Et l'on n'oubliera pas d'allumer la citrouille à la fenêtre. On ne sait jamais...

NOTE: à signaler que les pommes et la citrouille sont les derniers fruits de saison avant l'hiver.

Noël (25 décembre)

Dans la nuit du 24 au 25 décembre, vers huit heures du soir, commence la veillée de Noël. On mange un repas léger et on veille jusqu'à la messe de minuit, célébration de la naissance du Christ. Ensuite, on « re-veillonne », c'est-à-dire que l'on veille une deuxième fois, en mangeant le repas des fêtes. Dans la tradition occidentale, on a le choix entre le boudin blanc et le boudin noir, le foie gras, la dinde rôtie, le cochon de lait et, pour le dessert, il y a, entre autres, la fameuse bûche de Noël, pâtisserie qui rappelle la vraie bûche de bois qui devait brûler pendant toutes les festivités. Parlons un peu de cette bûche: en Provence, le plus vieux de la famille, « l'Ancien », allait chercher la bûche qui devait obligatoirement être un tronc d'arbre à fruit à noyau (pêcher, abricotier, cerisier, olivier), symbole de procréation. L'aïeul tendait alors une allumette au plus jeune qui était chargé de l'allumer en disant en provençal: « Que l'an prochain, si nous ne sommes pas un de plus, que nous ne soyons pas un de moins. »

Noël se passe en famille. On reçoit sa famille comme pour un repas familial, sauf que le menu sera bien sûr plus gastronomique et la tenue des convives plus élégante. C'est l'occasion de s'habiller en costume sombre et en robe longue.

Ce repas étant assez onéreux, on peut convenir, au préalable, d'en partager les frais ou encore la préparation des plats.

NOTE: le champagne et le sapin de Noël sont de rigueur. Le sapin, illuminé de tous ses feux, est un symbole de vie au début de l'hiver.

Le jour de Noël proprement dit est l'occasion de visiter la parenté que l'on voit moins durant le reste de l'année. Le repas est, en principe, plus simple que celui du réveillon.

Jour de l'An (1er janvier)

Le réveillon du Jour de l'an se passe plutôt entre amis. Comme pour Noël, on peut y servir un repas gastronomique mais peut-être un peu moins traditionnel. Ce sera si possible un repas au champagne et on se mettra sur son trente et un, même si c'est à la maison, pour fêter dignement l'arrivée du premier jour de la nouvelle année. Vu les coûts importants de ce genre d'événement, il est de plus en plus admis de faire participer tout le monde aux frais de la soirée. A condition toutefois que tous les convives soient prévenus et consentants avant la soirée.

Événements importants

Baptême

En principe, la cérémonie est suivie d'un buffet ou goûter au champagne, petits fours et dragées. On y invite le parrain et la marraine, la famille et le prêtre qui a baptisé l'enfant. Quelques amis intimes apprécieront d'être invités. Tenue de ville.

Communion

Il s'agit avant tout d'une cérémonie religieuse. On marque cet événement d'un repas familial simple auquel participent essentiellement la famille, le parrain et la marraine. Le communiant préside la table. Tenue de ville.

Fiançailles

Le repas de fiançailles se fait habituellement chez les parents de la jeune fille. S'il y a trop de monde, on peut choisir de le faire au restaurant.

La mère de la future fiancée s'enquiert auprès de la famille de son futur gendre des personnes à inviter. En principe, on n'invite que la famille. Si l'on veut inviter plus de monde, on peut remplacer le repas par un cocktail. Tenue de ville sombre pour les hommes, et claire pour les femmes.

Selon la tradition, la table et la pièce sont décorées de rose et de blanc (nappe blanche pour la table). Le champagne est de rigueur.

Mariage

En général, un repas suit la cérémonie. Il s'agit d'un grand repas auquel on convie toute la famille, le prêtre qui a béni l'union (s'il est intime), les témoins, les parrains, les marraines et les amis intimes.

Les connaissances et les invités d'obligation pourront venir plus tard, lors d'un cocktail ou buffet dansant qui sera organisé après le repas.

Le repas et le cocktail peuvent avoir lieu soit chez les parents de la mariée, soit dans un salon loué, soit dans un restaurant, soit encore une formule combinée comme, par exemple, le repas à la maison et le cocktail dans un salon loué.

Sur l'invitation figureront les nom et adresse des parents des mariés, ainsi que l'heure, le lieu et le genre d'événement auquel l'invité est convié. Par exemple, une simple connaissance pourra être invitée à la cérémonie et au buffet ou cocktail dansant, tandis qu'un parent proche sera invité à tous les événements, le repas y compris.

Traditionnellement, la mariée est vêtue d'une robe blanche longue. Le marié, les pères des mariés et les témoins, en habit foncé ou en « tuxedo ». Les mères des mariés et les témoins s'il s'agit de femmes, en robe de cocktail très élégante ou en robe longue claire. Les autres invités sont en tenue de ville élégante.

Les tables, drapées de blanc, et la salle sont en principe fleuries de blanc.

Les mariés, entourés de leurs plus proches parents, reçoivent habituellement les félicitations à l'entrée de la salle de réception.

NOTE: les parents des deux mariés partagent les frais de ces réceptions.

Bibliographie

ANDREANI, Ghislaine, *Le nouveau savoir-vivre*, éditions Hachette.

Documentation de la SOPEXA au Canada.

L'étiquette moderne, éditions Presse Select.

JOHNS, Leslie et STEVENSON, Violet, *Plantes et fleurs dans la maison*, éditions Fernand Nathan, 1975.

JOHNSON, Hugh, *Guide de poche du vin*, éditions Robert Laffont, 1980.

MESSEGUE, Maurice, *Mon herbier de cuisine*, éditions Robert Laffont, 1981.

Nouveau Larousse gastronomique, éditions Larousse, 1960.

Reader's Digest, «Savoir vivre, savoir plaire».

RIOUX, Paul, *Passeport international des cocktails*, éditions France-Amérique, 1981.

ROISEAUX, Jules, *A la découverte du vin*, éditions Héritages, 1978.

Table des matières

Anniversaires à ne pas oublier

Bonnes adresses à retenir

Notes